1186
RE PES
LOISIRS ANIMATION CULTURE
10, rue Chantereine
78250 HARDRICOURT

D1100536

Un père de trop

Brigitte Peskine

Un père de trop

Médium
11, rue de Sèvres, Paris 6[e]

© 1995, l'école des loisirs, Paris
Loi n° 49.956 du 16 juillet 1949 sur les publications
destinées à la jeunesse : mars 1995
Dépôt légal : mars 1995
Imprimé en France par B.C.I. à Saint-Amand-Montrond
En mars 1995 - N° d'Imp. : 1/713. - N° d'édit. : 1069.

Chapitre 1

Normalement, c'est dans les greniers des grands-mères qu'on découvre des secrets de famille. Pour moi, ce fut dans le garage de ma tante Fabienne. Les vacances d'été se terminaient et j'avais douze ans.

Ma sœur m'a crié de venir à table. J'ai mangé. Ensuite, nous avons fait la vaisselle et mon frère a aidé mon oncle à poncer un plancher.

Les mots dansaient devant mes yeux.

Il n'y a plus aucun doute, à présent. J'ai fait le test. Paul revient de Turquie dans un mois. Il sera trop tard, alors, pour arrêter quoi que ce soit. Je n'ai rien dit à Gilles. De toutes façons, il est nommé à

Paris à la rentrée. Viens me voir, Fabienne, viens vite. J'ai besoin de toi...

C'était l'écriture de Maman. La lettre était datée de juillet 1982. Huit mois avant ma naissance.

– Pascale ! Apporte-moi un autre disque !

La machine à poncer qu'avait louée mon oncle Jean-Baptiste était difficile à manœuvrer. À chaque démarrage, elle partait dans tous les sens en rugissant. Nous étions couverts de poussière. Jules éternua.

– Tu es sûr que ce n'est pas mauvais pour les allergiques, ton truc ? demanda Clotilde.

Jules et Clotilde, mon frère et ma sœur. Paul, le Paul de la lettre : mon père.

NON ! Tout cela était faux. Je n'avais plus ni père, ni frère, ni sœur. Je m'enfuis en courant.

– Qu'est-ce que tu lui as fait ? demanda Fabienne à son mari.

– Moi ? s'étonna mon oncle, démantibulé par une nouvelle ruade de la machine infernale.

– Une allergie au travail, fit Jules en éternuant une seconde fois.

– Elle est encore partie bouder dans sa cabane, soupira Clotilde, qui se moquait complètement de ce qui pouvait m'arriver, mais adorait jouer à l'aînée accablée de responsabilités.

Depuis que Jean-Baptiste, le frère de Maman, avait acheté cette vieille maison dans le Perche, à côté de Bellême, les parents trouvaient commode de nous y envoyer pendant les vacances. Mon oncle et ma tante étaient tous deux instituteurs à Nogent-le-Rotrou et n'avaient pas d'enfant, après dix ans de mariage. En fait, leur enfant, c'était cette ferme qu'ils retapaient de leurs mains, morceau après morceau. Et nous trois, accessoirement.

Le jardin était encore un peu à l'abandon, et je m'étais organisée un petit coin à moi, une sorte de tente construite avec une chaise en fer et une couverture, où j'entassais meubles miniatures et poupées Barbie. Parce que à douze ans, je jouais encore à la poupée. Pas au papa et à la maman, bien sûr. J'inventais des histoires, que je mettais en scène en variant les décors. Et je faisais toutes les voix : celle de l'héroïne, celle de son amoureux, celle de la rivale, celle du copain-confident, celle de la petite sœur qui découvrait que l'amoureux trompait l'héroïne avec la rivale. Pour reconquérir l'infidèle, Barbie s'offrait un peu d'aérobic, un bain moussant, une longue séance devant sa coiffeuse et une robe de rêve, en lamé or avec des fentes sur le côté. D'accord, c'était débile. Mais j'adorais commander à tout ce petit monde sans craindre de me faire couper la parole. À la maison, je n'étais que la cinquième roue du carrosse, la petite, la dernière.

Je frissonnai malgré la chaleur. J'étais assise par terre, mes bras entourant mes jambes, et ma tête sur mes genoux. *J'ai fait le test. Il sera trop tard, alors, pour arrêter quoi que ce soit.*

Je saisis ma Barbie préférée, celle dont les cheveux s'allongeaient lorsqu'on tournait la vis qu'elle avait sur le ventre. Elle portait un déshabillé rose bordé de minuscules plumes de la même couleur et des mules à talons. Des brillants aux oreilles et aux doigts. Un sourire rehaussé par le maquillage contenu dans le petit sac lamé assorti à la robe de fête.

Répugnant.

Jules me réveilla en hurlant : « Elle est là ! Je l'ai trouvée ! » de sa voix d'enrhumé permanent.

J'avais un mauvais goût dans la bouche, des courbatures partout et je ne comprenais pas pourquoi je m'étais endormie comme ça au milieu de l'après-midi. Puis je me rappelai la lettre. Mon frère aurait mieux fait de me laisser où j'étais.

– Qu'est-ce qui se passe ? fis-je.

– On s'en va !

– Où ?

– Ben à la maison, tiens ! À Tours ! Clotilde et moi, on en a marre de la campagne ! Tous nos copains sont rentrés de vacances…

Je le suivis à la cuisine, l'esprit plutôt embrouillé.

– Tu es malade ? demanda ma tante, inquiète.

– Maman a téléphoné ! gronda Clotilde. Elle voulait te parler !

– Nous ne savions pas où tu étais ! Un peu plus et elle nous retirait le droit de garde ! plaisanta mon oncle.

– C'est bien ce qu'elle a fait, non ? grognai-je. Il paraît qu'on rentre !

– Non ! fit Tante Fabienne. Toi, on te garde !

– C'est sympa de m'avoir demandé mon avis…

Au fond, j'étais plutôt soulagée. Je n'étais pas pressée de revoir mes parents. Ma mère, je veux dire. Lui, Paul, je ne savais même plus comment l'appeler dans ma tête.

Pendant que Clotilde et Jules entassaient leurs affaires et se plaignaient de ne pas pouvoir fermer leurs sacs, Jean-Baptiste découvrit que le plancher qu'il venait de poncer était attaqué par des parasites. Il fallait traiter avec un produit spécial, qu'on ne vendait qu'à Nogent.

– Puisque tu emmènes les enfants à la gare! dit Fabienne.

Oui, mais à l'heure du train, le magasin serait fermé. Mon oncle n'était pas content. L'application et le séchage du produit lui feraient perdre une bonne journée. Quant à la fin de l'après-midi, elle était fichue: il serait juste temps, au retour du magasin de bricolage, de repartir pour la gare avec Clotilde et Jules. À ce rythme, la pièce ne serait pas vitrifiée avant la rentrée des classes, pas meublée avant la Toussaint et pas habitable avant Noël.

J'écoutais avec ahurissement ce petit incident devenir un drame interplanétaire. J'aurais pu en rire si je n'avais pas eu cet étau autour de la poitrine.

– Tu n'as qu'à les laisser à la gare avec deux heures d'avance ! lançai-je. Ils n'en mourront pas ! Comme ça, tu iras en même temps au magasin et...

Mon idée était tellement simple qu'il fallut la compliquer un peu. Ma tante dénicha un autre train (avec deux correspondances). Il fallut donc retéléphoner à Maman pour lui donner la nouvelle heure d'arrivée. Et, bien entendu, je fus désignée pour ce faire : mon frère et ma sœur étaient trop occupés à tasser leur linge sale.

Et, bien entendu, je tombai sur lui. Paul.

Quand je l'entendis dire « Allô ! » mon cœur se mit à battre à toute allure, et, paniquée, je raccrochai. Ma sœur me traita de débile, mon frère d'attardée mentale, et Jean-Baptiste me demanda si j'avais l'intention de payer la facture de téléphone. Quant à ma tante, elle me regarda avec perplexité.

– Qu'est-ce que tu as, Pascale ? Tu es toute blanche. Viens par ici.

Elle posa sa main sur mon front, mais je n'avais pas de fièvre.

– Il s'est passé quelque chose ?

J'étais incapable de prononcer un mot.

– Attendons que ces sauvages soient partis, dit-elle doucement. D'accord ?

Je hochai la tête et montai dans la chambre.

Clotilde et Jules, qui, la veille, pleurnichaient sur la fin des vacances, étaient surexcités par la rentrée. Ils préparaient des plannings d'enfer pour avoir le temps de reprendre contact avec les copains, vendre leurs livres de l'année précédente, ranger leur chambre, vider leurs tiroirs (hum hum), acheter un nouveau jean (Jules), une garde-robe complète (Clotilde), aller chez l'oculiste (Jules), le dermatologue (Clotilde), le dentiste (les deux... à moins qu'ils ne m'attendent, mais je n'y tenais pas).

Ouf! Quel soulagement quand j'entendis la vieille 4L de Jean-Baptiste quitter la maison ! J'arrachai les draps, empilai les matelas et profitai du calme retrouvé. Pas longtemps, car Tante Fabienne me rejoignit.

– Une vraie fée du logis ! dit-elle pour plaisanter. On plie ?

Je l'aidai à ranger la literie sans prononcer un mot.

– Avant de partir, tu penseras à me rapporter la couverture qui te sert de tente, ajouta-t-elle. Sinon, elle risque de passer l'hiver dehors…

– Maintenant qu'ils sont partis, je n'ai plus besoin de coin secret, murmurai-je.

– C'est pas facile, hein, d'être la troisième ? Ils ne te font pas de cadeaux !

Je fis la moue. Jusqu'à ce matin, ce n'était pas tellement désagréable. Je suivais le mouvement, on me fichait la paix et, globalement, j'avais plus de liberté que Jules et Clotilde n'en avaient eu à mon âge. Mais, à présent, tout était devenu différent.

– Cette année, y en aura que pour le bac de Clotilde, dis-je avec ressentiment.

– Tu pourras toujours venir te réfugier ici...

– Pour boucher des trous et passer de l'enduit! Merci bien!

Ma tante fit mine de me frictionner les oreilles et me traita d'ingrate en riant. Je ris aussi. J'aurais voulu ne jamais quitter cette maison, Fabienne, cette fin d'été qui m'apparaissait comme le dernier rempart avant d'affronter ma nouvelle vie.

Mais brusquement je me raidis. Fabienne savait, ainsi que Jean-Baptiste, sans doute. Peut-être guettait-elle en moi des ressemblances avec mon vrai père, ce Gilles inconnu qui vivait à Paris. Elle aussi m'avait trahie. Plutôt, elle faisait partie du complot destiné à me priver de ma véritable identité.

– Pourquoi tu n'as pas d'enfant? demandai-je avec cruauté, car je savais que ce sujet était tabou.

Elle soupira, puis répondit en me regardant droit dans les yeux.

– Je ne peux plus en avoir. Il y a quelques années, j'ai été enceinte, et...

– Tu as avorté ?

Elle me regarda, effarée.

– Mais non ! Pourquoi tu dis ça ?

– Oh, tu sais, je suis au courant ! Beaucoup de femmes interrompent une grossesse ! L'important, c'est de ne pas attendre trop longtemps...

Je reçus une gifle qui me coupa le sifflet. Nous nous regardâmes, aussi atterrées l'une que l'autre.

– Tu ne m'impressionnes pas, Pascale ! Ça fait quinze ans que j'enseigne à des CM2 et je sais que leurs connaissances sont extrêmement étendues. Mais je te prierai de garder les tiennes pour la cour de récréation !

Je baissai la tête.

– Je m'excuse, dis-je.

– Et maintenant, écoute ce que j'ai à te dire. J'ai été enceinte et le bébé ne s'est pas développé dans l'utérus, comme il aurait dû, mais ailleurs. Ça arrive une fois sur dix mille. Il a fallu m'opérer et ça m'a ôté toute chance d'avoir un autre enfant. Jean-Baptiste en est aussi malheureux que moi, sinon plus. Alors je ne veux pas qu'on en parle. Tu as compris?

– C'est pas juste, marmonnai-je.

– Non. C'est pas juste. Mais il faut vivre avec.

Elle se leva et quitta la chambre, la démarche raide. Je m'en voulais de lui avoir fait de la peine. Je me suis dit que les gens malheureux devenaient méchants, même sans le vouloir vraiment. Et ça m'a fait très peur, parce que je savais qu'à partir d'aujourd'hui, je serais malheureuse.

Chapitre 2

Jusque-là, tout avait été plutôt simple pour moi. Ma sœur était la reine des enquiquineuses, je la trouvais ridicule lorsqu'elle passait des heures à se préparer pour sortir avec un type minable et affreux, elle m'énervait quand elle s'angoissait pour un contrôle de maths ou qu'elle se disputait avec Maman en plein milieu du dîner. Mais bon, j'étais habituée.

Mon frère était le plus débile des mecs, toujours à frimer avec ses copains en vélomoteur et à se moquer des filles. Jules quittait le collège cette année, pour entrer en seconde au lycée, et les minettes de ma classe allaient enfin me lâcher avec leurs : « Tu me présentes ton frère, Pascale ? » Lui, c'était avec Papa... enfin avec Paul, qu'il se disputait, toujours au sujet des résultats scolaires. Et du foot.

Moi, j'étais, d'après ma famille, un peu dans la lune. J'entrais en cinquième, je n'étais ni une lumière ni un cancre, j'aimais regarder les étoiles, dessiner et inventer des sketchs avec mes poupées Barbie. Mon seul signe distinctif était ma tignasse, une lourde masse de cheveux frisés, derrière lesquels je disparaissais volontiers. Comme je n'étais ni grande ni souple, le responsable de l'association sportive m'avait conseillé de m'inscrire au ping-pong. Jules s'était marré, mais le ping-pong, ce n'est pas si simple, il faut des réflexes et de la précision.

À la maison, je n'avais jamais beaucoup parlé, parce que la parole était monopolisée par les autres. Surtout Clotilde. Ça ne me gênait pas. Sauf quand ma sœur, qui avait raconté pendant tout le dîner des histoires sans intérêt, lançait, au moment de débarrasser la table: « Qu'est-ce qu'elle a, Pascale? Elle fait encore la tête? »

Le jour de la rentrée, ça n'a pas loupé. Clotilde nous a bassinés avec sa liste de profs, sa liste de livres, ses angoisses, ses besoins…

– Ils prennent TOUS des petits cours ! Sans mention au bac, maintenant, tu peux rien faire ! bêlait-elle.

J'étais arrivée à Tours la veille au soir, pleine d'appréhension. Je ne savais pas comment aborder le sujet avec les parents. J'espérais qu'ils me trouveraient changée, qu'ils s'étonneraient et me tendraient la perche. Mais se regardait-on encore, dans cette famille, ou se contentait-on, comme mon frère et ma sœur, d'avancer ses billes, d'occuper le terrain ?

– Tu ne sais même pas si tu auras des difficultés ! répondit Papa… enfin Paul, à Clotilde. Ça se passera peut-être très bien !

– C'est ça ! Et quand j'aurai coulé, il sera trop tard !

Jules objecta que si Clotilde, qui était une vraie bosseuse, prenait des petits cours, pour lui, il faudrait carrément embaucher un précepteur à plein temps. Clotilde le traita de « tache » et de délinquant en puissance ; Maman déclara que « même pour rire » il ne fallait pas dire des choses pareilles, et Jules se fit remonter les bretelles par anticipation.

Je les regardais tous les quatre, occupés à se disputer, et je me disais que si je disparaissais, ils ne s'en apercevraient même pas. Ils constituaient une famille, un vrai groupe avec ses codes d'entrée et sa langue propre, dont je ne faisais pas partie.

– Et Pascale ? dit Papa... enfin Paul.

Je citai les noms de mes professeurs de français, maths, anglais... Jules et Clotilde les avaient déjà eus et émirent sur eux des jugements définitifs. Ils recommencèrent à parler entre eux. Maman essaya de me redonner la parole, en pure perte. Tout ce que je vivais, ils l'avaient vécu avant moi, non ? Sauf la lettre.

Clotilde lâcha enfin :

– La cinquième, c'est vraiment une classe où l'on ne fiche rien.

Ça tombait bien. Je n'avais rien envie de faire.

Jules et Clotilde partaient ensemble au lycée, et j'allais seule au collège. Je flânais, déambulais dans des rues de Tours en regardant les vitrines. Je trouvais tout moche. Horriblement moche. Je me disais que si on m'en donnait les moyens, je changerais tout. Je décidais de devenir étalagiste. Puis je m'arrêtais devant une boutique d'opticien et décidais de devenir astronome. Bref, je rêvais. Quand j'arrivais au collège, la porte était fermée. Parfois on m'envoyait en permanence, parfois on m'acceptait en classe. Ça dépendait du pion.

Le jour de la rentrée, je m'étais disputée avec Jeanne, ma meilleure copine de l'an dernier : je lui avais écrit deux lettres pendant l'été, et elle, rien. En fait, ce n'était pas le vrai motif : j'aimais écrire et je savais qu'elle ne répondait jamais. J'étais arrivée en classe avec le même espoir qu'en rentrant à la maison la veille au soir : je pensais qu'on me trouverait changée, triste, songeuse, qu'on me demanderait ce qui m'était arrivé.

C'était Jeanne qui avait changé. Elle avait pris des formes et des poses. Elle n'attachait plus ses cheveux mais les balançait d'un côté à l'autre de sa tête comme les filles à la mode. Dès la première récréation, elle s'incrusta auprès des garçons débiles qui lui arrivaient aux épaules. Parce que, en plus, elle avait grandi.

Moi, même quand je l'attachais avec un « chouchou », ma crinière faisait casque autour de ma tête. Maman disait que j'avais de la chance, que toutes les femmes désiraient avoir « du volume ». J'enviais les filles comme Jeanne, avec leurs mèches aussi plates qu'obéissantes.

En cinquième, il y a deux sortes de filles :

les bébés et les minettes. Je n'étais plus un bébé et je n'avais pas envie de devenir une minette. Parmi les garçons, certains étaient encore sympas, genre copains, pas compliqués. Mais dès qu'on leur adressait la parole, les autres en déduisaient qu'on sortait avec. Je m'habituai donc à passer les récréations toute seule dans mon coin.

Le soir, je traînais pour rentrer, parce que je n'avais plus Jeanne pour faire la route avec moi, et que je n'étais pas pressée d'arriver à la maison.

Ma mère, qui avait surveillé de très près les horaires des aînés, relâchait la pression ; elle perdait, l'âge venant, la mémoire des emplois du temps. Ce n'était pas seulement de la sénilité précoce : elle s'investissait de plus en plus dans son travail, l'illustration de livres pour enfants. Elle avait commencé en dilettante, avec une sorte de plaisir naïf. Elle me lisait les histoires, me montrait ses ébauches, je lui donnais même parfois des idées. Puis c'était devenu plus sérieux, plus tendu. À présent, elle râlait contre les auteurs, les éditeurs, les imprimeurs, elle se plaignait d'être exploitée... Elle travaillait tout le temps mais ne dessinait pas plus qu'avant: elle téléphonait, montait à Paris avec ses planches, bref, elle s'agitait... et oubliait l'heure à laquelle je sortais du collège.

Ce qui devait arriver arriva: un soir, Maman m'accueillit avec un mot du conseiller principal d'éducation, qui se plaignait de mes retards permanents et de mon attitude « désinvolte » en classe.

– Qu'est-ce que ça veut dire? Tu te rends compte que tu n'es qu'en cinquième? Qu'est-ce que ce sera plus tard? À ton âge, ton frère et ta sœur...

Les parents ne fonctionnent que par comparaisons.

– Tu veux redoubler? Être orientée? Mais qu'est-ce qu'on va faire de toi?

Ensuite, les plaintes et gémissements.

– Tu as toujours été si facile... La plus facile des trois... Ton père et moi, nous n'y comprenons plus rien... Tu ne dis pas un mot à table, tu t'exclus de toi-même...

Ils s'en étaient rendu compte ? Bravo ! Pour ne pas m'attendrir, je me mis à mordre.

– Toi, tu ne penses qu'à ton boulot, tes contrats et tes petits dessins nuls !

– Ce sont eux qui nous font vivre, je te signale ! rétorqua ma mère.

– Parce que l'autre, il ne gagne pas d'argent ?

– On ne dit pas « l'autre » en parlant de son père !

Je ne relevai pas. Ma mère reprit, plus doucement toutefois :

– Je t'apprendrai que les architectes, en ce moment, n'ont pas beaucoup de travail... Alors si je n'avais pas de livres à illustrer, nous n'irions pas loin, tous les cinq !

– Pourquoi il passe tout son temps à l'agence, s'il n'a rien à faire ? repris-je.

– Il voit des gens, il fait des projets... Il rame, quoi ! Tu crois que ça tombe tout cuit dans le bec ? Moi aussi, je me démène... C'est la crise, je te signale !

Avec les parents, la vie est une longue crise ininterrompue.

Au dîner, le soir, Papa... enfin Paul, était sombre. Il annonça qu'il allait mettre les locaux de l'agence en location et rapatrier ses activités à la maison. Et où ? Dans ma chambre ! Ben voyons ! Je n'avais qu'à m'installer avec ma sœur. Ce fut évidemment un tollé de protestations. Clotilde dit que ce n'était pas possible de préparer le bac dans ces conditions. Maman se mit à crier qu'elle nous avait mal élevés et que nous étions des enfants gâtés. Je finis par me lever et j'annonçai :

– Bon, si c'est comme ça, je pars.

Au début, ils n'ont pas compris. Ils ont cru que j'allais dans ma chambre. Les dîners, chez nous, se terminent souvent par une retraite bruyante, et, dans le cas de Clotilde, accompagnée de larmes.

– Elle se débrouille encore pour ne pas débarrasser, fit Jules.

– Non, t'as pas capté, dis-je. Je m'en vais. Pour de bon.

Et j'ajoutai, avec un peu trop d'emphase : « Je laisse ma chambre au chômeur, et la famille à son destin. »

Le mot de chômeur fit bondir Papa, enfin Paul. Le reste de la phrase alerta Maman.

– Tu peux t'expliquer ?

– Je sais tout.

Et je me retirai dignement, pendant que Clotilde et Jules demandaient :

– Elle est devenue dingue ?

– Qu'est-ce qu'elle sait ?

– Ben répondez !

Ils ne pouvaient pas répondre. Ils se regardaient et ils avaient peur.

Chapitre 3

– Maintenant explique-toi, dit ma mère, après m'avoir rejointe dans « ma » chambre avec Paul.

Je ne pouvais pas. Au fond de moi-même, je n'arrivais pas à y croire vraiment. Et puis ça m'arrangeait assez qu'ils s'inquiètent, qu'ils se culpabilisent. N'avais-je pas toujours été la plus facile des trois ? Il était temps que ça change.

– Tout ça pour une histoire de chambre ! dit Paul.

Parlait-il sérieusement ?

– Non, je ne crois pas, répondit Maman. Pascale travaille mal, elle arrive en retard au collège, elle ne se lave plus, ne met plus son linge au sale…

– Ça te fait moins de boulot ! persiflai-je, assez étonnée malgré tout : elle s'en était donc aperçue.

Je contemplai mes ongles cernés de noir. En gym, l'autre jour, Jeanne m'avait demandé pourquoi je ne mettais pas de déodorant. J'avais passé le reste de la journée jambes et bras vissés au corps, sans oser bouger. Je ne comprenais pas ce qui m'arrivait. Avant, il me suffisait de me plonger dans un bain, sans me savonner, pour me sentir propre. Avant la lettre, la rentrée, et les odeurs inconnues qui s'échappaient de moi. J'aurais pu m'acheter du déodorant, du parfum, ou du bain moussant comme ma poupée Barbie. Et même me les faire rembourser. Ou piquer ceux de Clotilde, de Maman. Mais je ne voulais pas tricher. Tricher avec quoi ?

– Maman t'a parlé ? Tu t'inquiètes pour moi, c'est ça ? demanda Paul comme s'il venait de découvrir l'Amérique.

Ce qu'il y a de génial, avec les adultes, c'est qu'ils s'imaginent toujours être au centre de nos préoccupations. Que Paul n'ait plus de travail, je m'en fichais complètement.

– Tu sais, reprit-il, c'est juste un moment à passer... Ça m'est déjà arrivé, ça arrive à tous les architectes. Et puis, pour nous, il y a des solutions de repli, l'enseignement, la construction dans les pays du tiers-monde...

– La Turquie, par exemple ?

C'était sorti tout seul. *Paul revient de Turquie dans un mois.*

Avec Maman, ils se sont regardés.

– Pourquoi la Turquie, Pascale ?

– Ben, le tapis du salon... Tu n'as pas construit un hôtel, là-bas, avant ma naissance ?

– Si, dit Paul, le Grand Hôtel d'Ankara... Mais le tapis, on l'a acheté au Maroc, avec ta mère.

– Elle est fatiguée, dit Maman. Laissons-la dormir.

Elle avait peur. Elle était verte de peur. Et moi, j'avais la rage.

Ce soir-là, ils ont longuement parlé ensemble. Ils ont téléphoné, aussi. À Tante Fabienne. Pour savoir si elle m'avait parlé.

J'imaginais Fabienne et Jean-Baptiste tout seuls dans leur maison à moitié retapée. Fabienne se précipitant au garage. J'avais laissé la lettre au milieu des autres. Dans une grande valise démodée en faux cuir, où se trouvaient, pêle-mêle, des livres d'enfants, des disques quarante-cinq tours et des photos jaunies. Sans doute ce que ma tante avait emporté de chez ses parents lorsqu'elle avait épousé Jean-Baptiste dix ans plus tôt.

Maman avait connu Fabienne par son travail. Elle illustrait des albums pour les tout-petits, et Fabienne, institutrice de maternelle, l'avait invitée dans sa classe. Clotilde avait trois ans, Jules ne marchait pas encore. Maman n'avait pas pu les faire garder, elle les avait emmenés avec elle. Paul devait être charrette...

Quand un architecte est charrette, ça veut dire qu'il doit rendre un travail qui n'est pas terminé. Les architectes sont alternativement charrette et au chômage. Ils auraient honte de terminer un projet à l'heure, sans avoir passé les nuits blanches qui accompagnent obligatoirement toute remise de plans. Et dès que c'est fini, ils n'ont plus rien à faire.

Quand je pense qu'au collège on nous demande de nous or-ga-ni-ser, de gérer notre cahier de textes...

Fabienne m'a raconté qu'elle avait bien rigolé quand Maman était arrivée avec ses deux loupiots, la poussette, le petit pot jambon-carottes, les changes complets et le carton à dessins, dans la minuscule gare du minuscule bled où elle enseignait. Ensuite, elles étaient devenues de grandes amies. Moi, je n'étais pas née. Paul n'était pas encore parti construire son hôtel en Turquie.

Ensuite, Fabienne épousa Jean-Baptiste, le frère de Maman. Elle était ma marraine ; elle devint en plus ma tante.

Maman est rentrée dans ma chambre et a allumé la lumière. Je me suis frotté les yeux.

– J'ai Fabienne au bout du fil. Elle veut te parler.

Sa voix était rauque.

– Je dors, mentis-je.

Elle me sortit de mon lit. Ses mains tremblaient, elle me fit peur. Je la suivis jusqu'à leur chambre. Paul me tournait le dos.

– Allô ?

– Pascale, dit Fabienne, est-ce que tu as touché à la valise beige, au fond du garage ?

– Oui, répondis-je.

Et je raccrochai.

– Je vous avais bien dit que je savais tout ! criai-je. Personne ne me croit, mais les menteurs, c'est vous ! Je vous déteste !

Je fondis en larmes et courus me réfugier

au fond de mon lit. Évidemment, ils rappliquèrent aussitôt.

– Pascale... dit Paul.

Je lui lançai un tel regard qu'il s'arrêta.

– Dans cette valise, chez Fabienne, il y avait de vieilles lettres de moi, reprit Maman. Tu les as lues ?

– M'en fous de ta vie, hoquetai-je.

– Tu en as lu une, datée de juillet 82 ? C'est ça ?

Maintenant, Maman, suppliai-je intérieurement, maintenant tu peux le dire, tu dois le dire : « Mais enfin, Pascale, qu'est-ce que tu vas imaginer ? Papa était rentré d'Ankara pour les vacances ! C'est à ce moment-là que nous t'avons conçue ! Jamais je n'ai connu d'autre homme que lui ! »

– Tout est de ma faute, dit Maman. Paul voulait que je te parle... Mais je... mes trois enfants… je voulais que ce soit pareil pour mes trois enfants…

Elle ne niait pas. Elle n'expliquait pas. Elle avouait.

– Et eux ? C'est qui, leur vrai père ?

Je reçus une gifle. De Paul.

– NE ME TOUCHE PAS ! hurlai-je.

Clotilde et Jules accoururent.

– J'ai un contrôle de physique demain ! Vous ne pouvez pas mettre la sourdine ? gémit Clotilde.

– Et moi je voudrais bien suivre le foot à la radio, puisque je suis interdit de télé, rouspéta Jules.

– JE VOUS HAIS ! hurlai-je.

Paul pria Clotilde et Jules de regagner leurs chambres. « Elle est complètement barge ! » « Faites-la enfermer ! » entendis-je.

Ma mère et Paul se tenaient debout près de mon lit, les bras ballants. Comme si j'étais malade, à l'hôpital, dans un état désespéré.

Mon cœur n'était plus qu'un gros sanglot.

De ce sanglot sortit une phrase, presque un cri.

– Qui est mon père ?

Chapitre 4

Gilles était professeur de mathématiques et Maman l'avait rencontré à la chorale...

– J'avais vingt-cinq ans... Paul nous avait quittés depuis six mois... J'étais constamment seule avec Clotilde et Jules... Une fois par semaine, une jeune fille venait les garder pour que je puisse aller chanter... J'ai toujours aimé chanter...

Je ne voulais pas savoir tout ça. Une mère, c'est une mère. Ça s'occupe de ses enfants. Ça ne trahit pas son mari. Ça ne chante pas en dehors de la maison.

– Ta mère m'a expliqué la situation à mon retour de Turquie, poursuivit Paul. Elle aurait pu mettre fin à cette grossesse si elle l'avait voulu. Elle a choisi de te garder. Entre elle et cet homme, il n'y avait pas d'amour, seulement une attirance passagère. Quand je suis rentré, il avait obtenu la mutation qu'il souhaitait et quitté la ville sans savoir que ta mère attendait un bébé de lui. J'ai à peine hésité. Ma vie était ici, avec ma femme, Clotilde, Jules et l'enfant à venir. Légalement, il serait le mien. Je t'ai toujours considérée comme ma fille.

Le calme de Paul me révoltait. Comment avait-il pu accepter que sa femme l'ait trompé ?

– T'en avais fait autant, peut-être, avec les Turques ?

Il eut un sourire triste.

– Qu'est-ce que tu cherches à prouver ? Tu crois que je ne t'aime pas ?

Je suffoquais d'indignation, de rage impuissante, de chagrin.

– Moi, si... si mon mari m'avait fait ça, j'aurais arraché les yeux de l'autre femme ! Tu es un lâche ! Pas étonnant que tu sois au chômage ! Lâche ! C'est pour ça qu'elle te fait vivre, maintenant ! Pour acheter ton silence !

Maman pleurait, à présent, et me suppliait de me taire, mais je ne pouvais pas. J'avais besoin de blesser autant que j'avais mal.

– Je suis bien contente que tu ne sois pas mon père ! Et que ces débiles ne soient pas mon frère et ma sœur ! Je vous déteste ! Sortez de ma chambre ! Laissez-moi !

– Tu veux en parler avec quelqu'un ? poursuivit Paul, pendant que Maman, incapable de parler, hochait la tête pour montrer qu'elle l'approuvait. Si nous allions voir un psychologue, tous les trois ensemble, ça nous aiderait peut-être à y voir clair ? Ou toi toute seule, si tu préfères ?

– Je rêve ! explosai-je. Qu'est-ce qu'un psychologue peut changer à ce que vous m'avez fait ?

Je me tournai contre le mur, la tête enfouie dans mes bras au point de suffoquer, et je tentai de calmer les mouvements spasmodiques de mes jambes.

Ma mère essaya de me faire avaler une pilule pour dormir, mais je refusai. Je voulais rester aussi éveillée que possible.

Les jours qui suivirent, on me traita comme une convalescente. Clotilde et Jules demandèrent ce qui se passait. Paul et Maman voulurent organiser une grande réunion-déballage, et je refusai d'y participer. J'ouvris cependant la porte de ma chambre pour entendre ce qui se disait. Rien de nouveau : la chorale, l'absence de Paul, la mutation de Gilles, mon vrai père, la très grande générosité du mari trompé...

Clotilde et Jules durent être absolument sciés parce qu'ils ne prononcèrent pas un mot. Ils quittèrent le salon si vite que j'eus à peine le temps de refermer ma porte.

Ensuite, ce fut le silence. Les repas étaient mortels. « Passe-moi le sel, s'il te plaît. – Merci.

– Encore un peu de purée ?» Quand je pense qu'avant on devait réserver son tour de parole…

Paul installa son atelier dans un coin du salon pour ne pas me priver de ma chambre.

Jules me donna sa collection de Dinky Toys, les petites voitures avec lesquelles Paul avait joué quand il était petit.

– Que veux-tu que j'en fasse ? demandai-je.

Je savais qu'il y tenait, en plus.

– Ben, pour tes sketchs, avec tes poupées… Elles font pas que de la patinette, quand même… Et puis, c'est plus de mon âge…

Je ne lui répondis pas que je ne jouerais plus jamais de ma vie à la poupée. Et que je n'avais jamais été intéressée par les petites voitures. C'était la première fois qu'il me donnait quelque chose.

J'étais plus abattue qu'agressive, mais Jules

et Clotilde, eux, s'accrochaient quotidiennement avec les parents. Ils les provoquaient, attendant une réaction qui ne venait pas. Je me disais que quand j'aurais des enfants, jamais je ne les laisserais me parler de cette façon.

Un soir, alors que, à la télévision, une publicité rappelait les dangers du sida pour les jeunes, Maman fit une remarque sur notre génération sacrifiée.

– Quand tu étais jeune, c'était plus cool! dit Clotilde. Le seul risque, c'était de tomber enceinte, mais avec la pilule...

– Effectivement, dit Maman.

– Alors t'aurais pas pu la prendre quand t'as trompé Papa? cria ma sœur. Quand je pense aux cours que tu m'as faits sur la contraception, ça me donne envie de vomir!

Maman baissa la tête et ne répondit pas. Paul quitta la pièce. Clotilde en fit autant, par une autre porte, qu'elle prit soin de claquer bruyamment.

Ils avaient peur de nous, ils trouvaient normal que nous leur fassions mal. Je voulais que tout redevienne comme avant.

Jusque là, Clotilde et Jules ne m'avaient jamais caché qu'ils se seraient bien passés de moi, la petite dernière. Depuis les événements, ils s'efforçaient de m'associer à tout. En particulier à leurs agressions contre les parents. Je ne voulais pas. Ce n'était pas leur problème. Ils m'exaspéraient en prenant mon parti, en me défendant contre des injustices imaginaires.

– Pourquoi Pascale ne peut pas regarder le film avec nous ?

– Elle a cours à huit heures demain matin, disait Maman.

– Non, la prof de maths est absente, mentais-je.

Et je regardais le film, qui ne m'intéressait absolument pas. Mais si je n'avais pas menti, Jules aurait prétendu qu'on me brimait, les parents auraient cédé, et ça, je ne pouvais plus le supporter.

Ils avaient de longues discussions le soir, dans leur lit, qui se terminaient souvent par des disputes. Paul n'admettait plus les provocations de Clotilde et Jules. Il reprochait à Maman son comportement.

– Tu te sens coupable et ils en profitent !

– Qu'est-ce que j'y peux ? gémissait Maman.

– Ce qui s'est passé entre nous ne les regarde pas. Tu n'as pas à te justifier.

– Oh, ça t'est facile de dire ça ! Le chevalier sans peur et sans reproche ! S'ils savaient…

– Je ne vois pas l'intérêt de les déstabiliser encore plus !

Le plancher du palier craqua. Tous les trois, nous avions écouté derrière nos portes entrouvertes. La lumière s'éteignit dans la chambre des parents. J'entendis Clotilde entrer chez Jules. Je m'enfouis dans mon lit. J'avais compris, moi aussi, mais je ne voulais pas en parler. Paul avait également quelque chose à se faire pardonner, j'avais été l'otage de leur réconciliation…

Maman se réfugiait dans le travail, Paul passait des coups de fil et s'occupait de la maison. Tout était silencieux, différent. Mort. Je me demandais ce que j'avais perdu et qui me laissait vide et désemparée. Pas l'amour. J'avais beau essayer de me prendre pour le Remi de *Sans famille*, je savais bien que c'était de la triche. J'avais perdu le respect. Mon frère et ma sœur aussi. Et la confiance, par voie de conséquence, parce que c'est le respect qui induit la confiance.

Est-ce que l'autre, mon vrai père, je pourrais l'admirer ?

Fabienne et Jean-Baptiste débarquèrent un samedi pour passer le week-end avec nous.

– Et les travaux ? demandai-je.

– Bah, une semaine de plus ou de moins, répondit mon oncle.

Encore un mensonge. Ils avaient besoin de tous leurs jours de congé s'ils voulaient avoir terminé l'isolation du toit avant l'hiver. Ils étaient donc en mission. Comme par hasard, Tante Fabienne fut prise d'une fulgurante envie de châtaignes, et, comme par hasard, je fus la seule à pouvoir l'accompagner en forêt pour en ramasser...

– Et alors ? Ça t'ennuie de te promener avec moi ? demanda Fabienne.

– Non.

J'aurais pu ajouter « au contraire ». Je n'étais pas dans une phase d'amabilité.

– Je n'ai jamais vu Gilles, reprit-elle un peu plus tard, mais...

– Mais quoi ?

– Écoute, Pascale, je t'aime, et j'aime beaucoup ta mère. Et Paul...

– Génial !

Elle me dit d'arrêter de crâner.

– Je sais ce que tu as dans la tête, et je voudrais que tu y renonces...

Je ne répondis rien. Je tripotais une bogue de châtaigne et jouais à m'enfoncer les piquants dans les doigts.

– Je suppose que ce ne serait pas impossible de retrouver ton vrai père, dit-elle, mais qu'est-ce que tu y gagnerais? Il a probablement une femme et des enfants, songe au cataclysme que tu provoquerais...

J'avais réussi à me faire saigner. Je jetai la bogue par terre et la piétinai. Puis je suçai mon doigt. Il n'y avait aucune place au monde pour moi.

– Si tu avais su que tu ne pourrais pas avoir d'enfant, demandai-je, tu m'aurais prise?

Elle me regarda sans répondre.

– Avoue que ça aurait tout simplifié... Tu aurais mis un coussin gonflable sous ta robe. Vous auriez prévenu Paul, il aurait retardé son retour. Très compréhensif, Paul, n'est-ce pas ? D'ailleurs qui sait s'il n'a pas une demi-douzaine de bâtards qui traînent ici ou là ! Tu aurais fait semblant d'aller à la maternité... Peut-être que Maman serait devenue ma marraine...

– C'est du roman, Pascale. Du roman. Et puis un enfant, je vais bientôt en avoir un. Sans coussin gonflable : Jean-Baptiste et moi, nous avons fait une demande d'adoption. En réalité, la demande, nous l'avions faite depuis longtemps. Mais nous venons d'accepter d'avoir un bébé qui ne soit pas de race blanche. Avec un peu de chance, il sera là pour Noël.

Fabienne me regardait, les yeux brillants, attendant sans doute que je me réjouisse. Une dernière porte venait de se fermer à mon nez.

Parce que, la nuit, dans mon lit, quand je cherchais désespérément une solution, je n'en voyais qu'une : aller vivre à Bellême, entre Fabienne et Jean-Baptiste.

Paul partit à Lille pour donner un coup de main à un collègue « charrette ». Clotilde réussit à se faire payer des petits cours de maths. Son prof était un étudiant timide et sérieux. Un soir, à table, Maman fit des compliments sur lui. Tous les trois, nous la fixâmes, et dans nos yeux, elle lut : « Tu as toujours eu un faible pour les profs de maths. » Telle était l'ambiance à la maison. C'était encore plus pénible depuis que Paul était parti. Devant lui, mon frère et ma sœur ne se permettaient pas tout. Tandis qu'avec Maman... Clotilde se disputait quotidiennement avec elle. Chaque repas se terminait dans les cris ou les larmes. Les portes claquaient. Maman n'osait plus nous punir, à peine nous gronder. Elle avait honte.

Moi aussi, j'avais honte, mais pas pour les mêmes raisons. J'avais annoncé mon départ et j'étais toujours là. Il faut croire que je n'avais pas un tempérament de fugueuse. Je m'en voulais d'avoir accepté l'inacceptable.

Chapitre 5

C'était la veille du conseil de classe. Je n'avais la moyenne dans aucune matière. Le prof d'histoire-géo, qui m'avait connue en sixième, et qui ne comprenait pas pourquoi mes résultats s'étaient ainsi effondrés, m'interrogea au tableau. Sans doute pour me repêcher. Je n'avais même pas lu ma leçon et il me mit un zéro pointé.

– Apporte-moi ton carnet de correspondance, dit-il.

Normalement, nous étions censés transcrire nous-mêmes les notes.

– Vous n'avez pas confiance? fis-je avec insolence.

Il me regarda, surpris. La classe s'était tue.

Une audace dont je ne me serais pas crue capable m'échauffait la tête, le sang battait dans mes tempes. Je sortis mon carnet de mon sac à dos et commençai à griffonner des zéros sur toutes les pages. J'étais tellement énervée que mon stylo déchirait le papier. Le prof vint me cueillir à ma place et m'emmena chez le principal. Je me débattis. Il dut me traîner dans le couloir.

J'étais folle de colère. Je ruais dans tous les sens. Ma voix résonnait à mes oreilles comme celle de quelqu'un d'autre. J'étais consciente de ce que je faisais, je savais que c'était grave, et même irréparable, mais je continuais avec la sensation de foncer dans un mur, la tête en avant. J'avais envie de me faire mal, de saigner, pour que, enfin, ça se voie.

– Elle n'est pas dans son état normal !

– Appelez l'infirmière !

Je me suis calmée d'un seul coup. Pas question qu'on m'envoie chez les fous. Le principal, qui n'avait pas assisté à ma crise de furie, me fit un sermon et annonça le menu : un blâme, ou une exclusion de trois jours. Il en discuterait avec mes professeurs.

– Qu'est-ce qui se passe ? Tu n'as jamais eu d'avertissement de conduite… ni de travail, d'ailleurs… Tu as des problèmes chez toi ?

– Non, bougonnai-je.

Je voulais que ça se voie, mais je ne voulais pas le dire. Il reprit son air sévère :

– Non MONSIEUR !

Je restai en permanence jusqu'au soir. Ma classe était sortie plus tôt : la semaine des conseils, les cours de dernière heure sautent pour que les profs puissent se réunir. Le collège semblait désert. Je me retrouvai seule sur le pavé humide. Il faisait froid, la nuit était tombée.

Je ne voulais pas être envoyée chez les fous, mais je pensais qu'ils auraient quand même pu téléphoner à Maman et lui demander de venir me chercher… Mon accès de rage m'avait laissée épuisée, la voix rauque.

Je ne suivis pas le chemin habituel. Je n'étais pas pressée de retrouver la maison, les disputes entre Clotilde et Maman, les mensonges de Jules qui séchait les cours, la purée en flocons («Je n'ai pas eu le temps de faire les courses, mon éditeur m'a tenue une heure au téléphone»)...

La gare était chauffée et bien éclairée. Le distributeur de boissons avala ma pièce sans rien me donner en échange. Je lui flanquai un coup de pied. En vain.

Je restai longtemps dans le hall des départs avant de comprendre que les trains étaient en grève. Une remarque de Paul me revint en mémoire: «Les jours de grève, les contrôleurs ne passent pas: ils ont peur de se faire lyncher.» Le tableau annonçait un train sur quatre.

J'irais à Paris sans billet, en attendant le temps qu'il faudrait. Je n'étais pas pressée.

J'arrivai vers une heure du matin à la gare

d'Austerlitz, après un long arrêt à Orléans. J'étais déjà venue à Paris, mais jamais à jeun, de nuit, et pendant une grève de la SNCF. Il y avait des gens partout, le sol était jonché de gobelets sales et de papiers gras. Au bout du quai, un homme attendait, portant un écriteau. Sur l'écriteau, je lus mon nom. La police? Dans un film, j'aurais pris la fuite. Je n'étais pas dans un film.

– Pascale? Je suis Gilles. Ta mère m'a téléphoné.

Je regardai mon père avec ahurissement. J'étais incapable de la moindre pensée cohérente.

– Tu as dîné? Viens, on va manger un morceau.

Il n'était pas très grand, il avait des lunettes, les cheveux frisés et un sourire gentil. Mais un pli entre les sourcils et une alliance au doigt.

Il voulut d'abord que j'appelle Maman pour la rassurer.

– Je suis fatiguée, fis-je. Faites-le, vous..

Il descendit au sous-sol du café, remonta pour faire de la monnaie à la caisse, redescendit...

Pour une aventure, c'était réussi ! Ma fugue avait à peine duré quelques heures. Comment Maman avait-elle localisé Gilles ? Était-elle restée en contact avec lui ?

– Je n'ai jamais revu ta mère, m'expliqua mon père comme s'il devinait les questions que je me posais. Elle m'a trouvé grâce au Minitel. Puis elle m'a envoyé une photo de toi par télécopie.... Tu sais ce que c'est qu'une télécopie ? Je l'ai reçue au lycée, ils sont équipés. Je t'attends ici depuis des heures. Remarque, ça m'a donné le temps de me remettre. Parce que j'ai reçu un sacré choc, je peux te dire !

Et moi ?

– Je ne veux pas rentrer à Tours, marmonnai-je, le nez sur le menu. Pas tout de suite.

Il s'en doutait. Il soupira doucement et

m'observa par-dessus ses lunettes.

– Pascale, dit-il, tu dois te mettre un peu à ma place. Jusqu'à ce soir, j'ignorais ton existence. J'ai une femme et deux jeunes enfants. Chez moi, c'est tout petit...

– Je savais que vous ne voudriez pas de moi. Fabienne me l'avait dit.

– Qui est Fabienne ?

– Ma tante. Ma marraine.

Il m'expliqua que ce n'était pas une question de vouloir ou de ne pas vouloir. Mon véritable père, c'était celui qui m'avait élevée ; pas celui qui m'avait conçue. Il m'interrogea sur Paul, dont il loua la générosité et la tolérance.

– Donnant-donnant, grimaçai-je. D'après ce que j'ai compris, s'il est parti en Turquie, c'est qu'il y avait de l'eau dans le gaz avec Maman...

Mon vrai père soupira et partit dans un discours confus d'où il ressortait que personne n'était parfait, et que c'était une preuve d'intelligence d'oublier les erreurs passées pour protéger le futur. On se serait cru dans un cours de morale de la comtesse de Ségur. Ça m'écœura complètement.

Ensuite, il me proposa de devenir mon ami :

– À ton âge, on observe, on juge, on est déçu. Il est important d'avoir un ami hors de la famille. Pas comme modèle, plutôt comme soupape. Quand j'étais jeune, l'un de mes oncles a joué ce rôle pour moi. Qu'en dis-tu ?

Il n'était pas mon oncle, ni mon parrain, mais mon père ! Voilà où l'avaient mené ses cogitations sur le quai de la gare : une soupape. Pourquoi pas un tuyau d'échappement ?

Le repas et la chaleur m'avaient totalement abrutie. Je n'arrivais pas à garder les yeux ouverts. Gilles me ramena chez lui en voiture.

– Qu'est-ce que vous allez lui dire ? demandai-je.

– À qui ?

– À votre femme !

Il hésita et me parla des mensonges pieux que les grandes personnes devaient faire pour épargner la sensibilité d'autres grandes personnes.

– Tu sais, je suis enseignant... Il m'est déjà arrivé d'héberger des élèves en difficulté.

Je me réveillai sur le canapé du salon. L'appartement était effectivement tout petit. Vieux et moche, en plus. Je fis semblant de dormir pendant que Gilles et sa femme préparaient les enfants, en chuchotant. La femme de mon père me parut jeune, plus jeune que Maman, et pas très patiente. La petite fille refusait de mettre sa cagoule et ses moufles, comme moi à son âge.

– Et qui te gardera quand tu auras pris froid ? entendis-je.

– Grand-Maman ! triompha la fillette.

– Chut ! fit Gilles qui était en train de faire glisser le bébé dans une combinaison de scaphandrier, avec pieds et capuche.

La femme prit la momie dans ses bras,

Gilles ouvrit la porte, et j'entendis encore la petite fille faire des histoires à propos de l'ascenseur... Puis, plus rien. Il était temps de quitter ma couette.

Il y avait des draps qui séchaient au-dessus de la baignoire et du linge trempait dans le lavabo. De toutes façons, je n'avais pas de brosse à dents. Ce serait encore un jour de toilette minimum.

Je regardai Gilles faire les lits, passer l'aspirateur et ranger la cuisine.

– Je n'ai pas de cours ce matin, dit-il. Tu as des projets ?

Je voulais voir les vitrines de Noël. Gilles m'emmena au Printemps et aux Galeries Lafayette. Les animaux en peluche dansaient, les voitures roulaient, les soldats faisaient la guerre.

– Ça te plaît ? demanda Gilles.

– Le mouvement est trop lent, mal synchronisé. Il n'y a pas de magie, répondis-je, déçue. Puis j'ajoutai : plus tard, je serai étalagiste.

Évidemment, il profita de l'occasion pour

me demander comment je travaillais : on n'est pas prof pour rien.

– Ils sont en train de me virer, au collège. C'est aujourd'hui le conseil de classe.

Gilles me fit raconter la scène de la veille. Il prit l'affaire très au sérieux, rentra chez lui et téléphona au principal.

Il prétendit être un ami de la famille, n'expliqua pas la vraie raison de mon attitude et me déclara « légèrement souffrante : une crise de croissance, sans doute » ! Les adultes, c'est rien que des menteurs.

– Tu auras juste un avertissement de conduite, me dit-il en raccrochant. Mais tu as entendu : j'ai promis que tu allais te remettre au travail !

– Vous faites ça pour tous les élèves en difficulté ? demandai-je.

– Oui.

– Et ils se remettent au travail ?

– Pas tous. Mais toi, tu ne voudras pas me décevoir.

Comme ami de la famille ou en tant que père ?

Les larmes me montèrent aux yeux et je me jetai dans ses bras. Gilles semblait plus gêné qu'ému. Il m'embrassa, malgré tout.

– Il faut que tu rentres chez toi. Tu as de l'argent, pour le train ?

Je ne voulais pas rentrer. Je n'avais plus de chez moi. Je tentai d'expliquer le silence, la honte de Maman, la gêne de Paul, l'agressivité de Jules et Clotilde.

– Garde-moi ! suppliai-je. J'irai dans ton lycée. Je travaillerai bien...

Je savais que c'était impossible.

– Dis au moins à ta femme qui je suis !

Gilles me dit qu'elle venait de reprendre le travail après son accouchement, qu'elle était très fatiguée, que les enfants étaient difficiles, et aussi qu'ils avaient des problèmes financiers. Évidemment ! La colère m'envahit. C'était plutôt moins pénible que l'émotion.

– Entre les profs mal payés et les architectes au chômage, criai-je, je me sens super-motivée pour travailler en classe ! Je me demande vraiment à quoi ça sert !

– À faire un métier qui te plaise. Ce n'est pas l'avis de ton père ?

– C'est toi, mon père !

J'insistai pour l'accompagner au lycée. Nous déjeunâmes dans un *fast food*. Gilles avait tout arrangé avec Maman. Je prendrais un train pour Tours dans l'après-midi, le temps que le trafic SNCF redevienne normal. Mon père me regarda dans les yeux, avec son pli entre les sourcils, genre « je parle à une élève en difficulté ».

– Je peux te faire confiance, Pascale ? Ta mère m'a dit que tu avais toujours été la plus raisonnable des trois.

Desquels trois ?

Il m'expliqua comment je devais me rendre à la gare, me donna un ticket de métro et de l'argent pour le billet de train.

– Tu pars maintenant, tu t'achètes un magazine et tu t'installes dans la salle d'attente. D'accord ?

À dix-sept heures, une dame âgée, accompagnée de deux petits enfants, me trouva assise sur le paillasson de Gilles.

– Qu'est-ce que tu fais là ?

La petite fille piailla qu'elle me connaissait, que j'étais Pascale et que j'avais dormi chez eux la nuit dernière. C'est ainsi que je fis connaissance avec ma grand-mère.

Chapitre 6

Je compris immédiatement qu'elle serait mon ennemie. Elle ne crut pas, ou ne voulut pas croire à mon histoire d'élève en difficulté.

– Mon fils n'a que des grandes classes, tu ne peux pas être son élève !

Elle s'empara de mon sac à dos et en sortit ma carte d'identité scolaire.

– Collège des Saules à Tours ! Mais qu'est-ce que tu fiches à deux cents kilomètres de chez toi ? Ta mère est au courant ?

– Non, mais Gilles, heu...

– Son numéro !

– À qui ?

– À ta mère ! À moins que tu ne préfères

que j'appelle les renseignements... Ou la police...

– Ça servira à rien! Ma mère est à la gare, en train de m'attendre... OK, OK, j'appelle...

Je tombai sur Paul, que Maman avait fait rentrer de Lille (laissant son copain en tête à tête avec sa charrette) quand elle avait appris que j'étais partie chez mon vrai père.

– Mais Pascale, tu devais revenir cet après-midi...

Ma grand-mère prit l'appareil et menaça de me conduire au commissariat.

– Qui est responsable de cette enfant? criait-elle.

– Moi, Madame, mais... balbutiait Paul.

– Alors venez la chercher! Sinon, demain, à la première heure, je la remets à la brigade des mineurs.

Et elle raccrocha. J'ignorais ce qu'était la brigade des mineurs; ça sonnait mal à l'oreille...

Là-dessus, Gilles rentra du lycée. Il ne fut pas content de me trouver là, mais dut remettre l'explication à plus tard. Il tentait de se débarrasser de sa mère quand Maman téléphona pour dire qu'elle arrivait aussi vite que possible avec Paul. Puis la femme de Gilles rentra de son travail.

– Est-ce que quelqu'un pourrait m'expliquer ce qui se passe ? demanda-t-elle.

J'allais dire la vérité, pas mécontente de river son clou à la grand-mère. Gilles me devança :

– Pascale est ma fille, lâcha-t-il. Je l'ignorais, jusqu'à hier soir.

– Ta fille ? cria ma grand-mère, effarée.

La femme ne dit rien. Elle enleva son manteau d'un air fatigué et moucha le nez du bébé.

– C'était avant notre mariage, reprit mon père.

Il s'approcha d'elle mais elle se détourna.

– Je vais baigner les enfants, dit-elle.

– Non, Françoise, vous êtes fatiguée, je vais le faire, dit ma grand-mère.

– Gilles, pourrais-tu demander à ta mère de nous laisser ?

Je me dis que, dans d'autres circonstances, j'aurais pu faire alliance avec Françoise, la femme de mon père : elle non plus n'aimait pas la vieille dame.

Gilles chuchota quelques mots à l'oreille de sa mère qui prit son manteau et ses gants. Avant de claquer la porte d'un air offusqué, elle me regarda d'un air qui signifiait : « Tu es contente de toi ? »

Le bébé hurlait dans ses couches sales, la petite fille, ma sœur, à moitié déshabillée, poursuivait l'inventaire de mon sac à dos et Françoise, refusant toute aide, s'échinait, le visage fermé, à plier les grands draps pendus au-dessus de la baignoire. Gilles, à bout de nerfs, quitta l'appartement en claquant la porte derrière lui.

Sympa. Même comme soupape, Gilles se montrait nul.

J'aurais voulu partir, quitter ce drame domestique minable, mais dehors il faisait noir et je ne savais pas où aller. Je me dis que je n'avais pas beaucoup de courage moi-même. J'attendais Maman et Paul. Joli résultat. Je m'étais donnée en spectacle au collège, j'avais fugué, j'avais rencontré mon vrai père : j'avais l'impression d'avoir gonflé un gros ballon en y mettant tout mon souffle, et il se vidait par petits pets grotesques. Mes yeux étaient secs, mais je me sentais pleurer à l'intérieur de moi-même. Comme si mon cœur se déchirait.

Gilles revint, à peu près calmé. Sa femme ne m'avait pas adressé la parole. Il prépara la soupe du bébé en évitant de croiser mon regard. J'avais honte et, en même temps, je lui en voulais de sa lâcheté. Je me demandais si tous les hommes étaient des dégonflés, ou seulement mes deux pères, le vrai et le faux.

Quand il eut nourri puis couché les enfants, Gilles s'enferma dans sa chambre avec sa femme. Il en sortit un peu plus tard et me demanda si j'avais faim. Je fis « non » avec la tête. Puis je fondis en larmes.

– Allons, allons, dit-il mollement.

Il me parla de sa femme. Elle travaillait au ministère de l'Éducation. C'était une ancienne prof. Ces dernières années, elle avait enseigné dans une banlieue dure.

– Quand elle s'est trouvée enceinte de Frédéric, elle a craqué. Ma mère s'est occupée de tout... Ça va beaucoup mieux maintenant, mais c'est difficile de reprendre le contrôle...

Bref, je n'étais pas entrée dans leur vie au meilleur moment. Et je n'avais pas fait preuve d'une immense délicatesse. Avec les adultes, c'est toujours pareil : ils sont fragiles, il faut les protéger. Nous, les jeunes, on peut crever.

– Je suis désolée... Mais pour moi aussi, c'est dur, murmurai-je.

– Tu avais besoin d'aller fouiller dans cette valise ?

Je ne savais comment expliquer que ce n'était pas la valise qui était en cause, et encore moins la lettre, mais le fait qu'on m'avait menti sur mes origines, mon identité.

– Si tu ne l'avais pas su... commença Gilles.

Je l'aurais senti. Forcément. Un jour ou l'autre. Déjà, j'étais la seule à ne pas ressembler à Paul. À être malade en bateau. À détester les artichauts...

Mon père sourit. Lui, il aimait les artichauts, mais il était également sujet au mal de mer. Nous nous regardâmes longuement en silence. Il caressa mes cheveux. Les siens devenaient rares sur les tempes, mais ils tire-bouchonnaient comme les miens. Je songeai que j'aurais peut-être, moi aussi, à quarante ans, un pli entre les sourcils.

Françoise, la femme de Gilles, sortit de sa chambre quand Maman et Paul sonnèrent à la porte. Nous nous assîmes tous les cinq au salon.

– Je suis navrée, dit Maman.

Gilles soupira. Sa femme proposa froidement une tasse de café. Sans succès. Mais ce n'était pas vraiment une proposition. Juste une phrase, comme ça.

– J'ai appris ce que tu as fait, pour son collège, reprit Maman. Merci.

– De rien.

Paul se leva et me saisit la main.

– Tu rentres avec nous? demanda-t-il doucement.

Je hochai la tête et dégageai ma main. J'enfilai mon blouson et sentis dans ma poche le billet que m'avait donné Gilles pour le train. Je décidai de ne pas le lui rendre. À Noël, je m'achèterais un cadeau de sa part.

Nous rentrâmes à Tours en voiture, dans la nuit. Personne ne prononça un mot.

Je ne retournai pas au collège. Les vacances étaient proches et le médecin me mit en congé. J'acceptai avec joie l'invitation de Fabienne et Jean-Baptiste. Pendant les fêtes, ils avaient décidé de refaire la cuisine...

Le plafond et les murs étaient tellement fissurés que mon oncle décida de poser d'abord de la toile de verre. C'est une sorte de trame que l'on colle comme du papier peint et qui évite les rebouchages fastidieux. Mais, auparavant, il fallait lessiver. Nous formions une bonne équipe. Fabienne posait les bâches et les Scotch de protection. Jean-Baptiste, monté sur son échafaudage, s'occupait du plafond et du haut des murs. J'avais en charge tout ce qui se trouvait à ma hauteur.

Nous avions branché le frigo dans le couloir et cuisinions sur un Camping-Gaz. Il faisait froid et humide dehors, mais nous étions bien, tous les trois, dans ce foutoir. Enfin, moi, j'étais bien. Presque.

Quelques jours avant Noël, il neigea, et la maison devint comme une île – en chantier – au milieu d'un grand nuage blanc.

La tête emprisonnée dans des bonnets de douche pour protéger nos cheveux, nous n'entendîmes pas la sonnette de la porte. Jean-Baptiste fut donc très surpris de se trouver nez à nez avec une petite dame replète, alors qu'il passait le cadre de la fenêtre au papier de verre.

C'était l'assistante sociale de la DDASS, et elle effectuait une visite surprise pour tester la capacité d'accueil de Fabienne et Jean-Baptiste, parents « adoptants ».

Nous n'étions pas loin du drame.

– Et si l'enfant arrivait demain, dit la dame, qu'est-ce que vous feriez ?

– Madame, dit Fabienne le plus doucement possible, depuis des mois un enfant est susceptible d'arriver demain. Vous voudriez que nous cessions de vivre ? Vous nous avez déconseillé de partir en vacances, et même de nous éloigner du téléphone : il faut bien qu'on s'occupe !

– Comprenez-moi, dit l'assistante sociale, il y a pas assez d'enfants adoptables.

Fabienne voulut dire quelque chose.

– Même les enfants de couleur, Madame, sont en nombre insuffisant par rapport aux demandes. Mettez-vous à ma place : si j'ai le choix entre une structure d'accueil confortable et un… un capharnaüm, je préférerai le couple qui dispose d'une chambre chauffée et d'une cuisine en état de marche !

Je m'esquivai discrètement. Il n'y avait qu'une seule chambre digne de ce nom dans la maison : celle que j'occupais, seule ou avec Clotilde et Jules. Mon oncle et ma tante se contentaient d'un matelas posé sur un plancher à moitié décapé… Je rangeai la pièce du mieux que je pus et redescendis au rez-de-chaussée. Fabienne avait réussi à faire du café sur son Camping-Gaz et l'ambiance n'était pas trop mauvaise.

– Vous voulez voir la chambre ? demandai-je.

– Mais certainement, dit la dame. Et d'abord, explique-moi un peu qui tu es…

– Leur nièce… La filleule de Fabienne… Ils seront des parents super, et… (j'ajoutai en regardant mes pieds) si j'avais pu choisir, je n'aurais pas hésité…

Ils rirent tous les trois. Fabienne m'embrassa. Je la sentais nerveuse.

L'assistante sociale visita la chambre, mais aussi le reste de la maison. Finalement, elle se tourna vers Jean-Baptiste.

– Il faut vous montrer un peu raisonnable, dit-elle. Finissez la cuisine et arrangez la salle de bains. Installez un chauffe-eau et une baignoire. Si je fais un rapport sur ce que j'ai vu, jamais ils ne vous confieront d'enfant. Je vous propose de ne rien dire et de repasser dans quinze jours. D'accord?

Ce soir-là, il y eut un grand conseil de guerre. Faire appel à des professionnels coûterait cher, mais mon oncle était disposé à emprunter un peu d'argent à la banque. Tante Fabienne n'était pas d'accord: comment trouver des ouvriers compétents et disponibles entre Noël et le Jour de l'an ? Il valait mieux compter sur nos propres forces, travailler jour et nuit, sans les contraintes des jours fériés et de la durée légale du travail.

– La plomberie, je n'en ai jamais fait, dit Jean-Baptiste.

– Demande à Paul ! dit Fabienne. C'est bien lui qui a installé la douche, chez ta sœur ! N'est-ce pas, Pascale ?

Je ne répondis pas. Ils ne se rendaient pas compte, ou quoi ?

– En plus, renchérit mon oncle, il aura des idées d'aménagement... et des prix chez les grossistes, comme tous les architectes !

Je montai me coucher sans dîner, totalement dégoûtée de la vie.

Chapitre 7

Paul et Jean-Baptiste prirent en charge la salle de bains. Je restai en bas avec Fabienne à peindre la cuisine. La magie avait disparu. L'odeur me donnait mal à la tête, les rouleaux poissaient, les bâches en plastique se déchiraient sous nos pieds, la peinture coulait sans couvrir. Mécontente du résultat de mes efforts, de l'intrusion de Paul dans notre trio, de la jalousie que je sentais monter à l'égard du bébé qui allait me voler mon oncle et ma tante, j'agressai Fabienne :

– Pourquoi vous avez attendu si longtemps avant d'accepter un Noir ? Vous êtes racistes ?

– Il ne sera peut-être pas noir, mais asiatique, ou maghrébin, répondit Fabienne tranquillement.

– Tu n'as pas répondu à ma question.

Fabienne posa son rouleau et me regarda dans les yeux.

– C'était une décision difficile à prendre, Pascale. Nous voulions un enfant, de n'importe quelle couleur. Un enfant à aimer. Mais lui ? ou elle ? Comment réagira-t-il ? Les gens qui le verront avec nous sauront immédiatement qu'il a été adopté. Il y a des moments dans la vie où le regard des autres fait mal.

Je songeai que c'était aussi vrai pour mon futur cousin que pour mon oncle et ma tante. Sortir en famille signifierait braver l'étonnement, la pitié, la curiosité malsaine...

Fabienne avait raison, et ça me déprimait. J'aurais tant voulu que les choses soient plus simples, pour elle, pour moi, pour tout le monde.

Nous fûmes interrompues par l'arrivée du plombier déniché à grand-peine en ces temps de fête : nous avions bouché la vidange de l'évier en rinçant nos pinceaux... Il nous engueula :

– Les canalisations sont en ferraille ! La peinture s'accroche ! Il ne faut jamais laver vos outils dans l'évier !

– Comment fait-on, alors ?

– Vous prenez un seau et vous allez jeter l'eau dans le jardin !

– Et mes fleurs ? s'indigna Fabienne.

– Faut choisir, ma petite dame !

Il accepta en maugréant d'installer la nouvelle salle de bains et partit en pestant contre les bricoleurs du dimanche.

Mes mains se couvrirent de cloques sous l'action conjuguée du White Spirit et de l'eau glaciale (le thermomètre était descendu bien en dessous de zéro). Tante Fabienne m'enduisit les doigts d'une crème grasse qui sentait le rance et je fus réduite au chômage technique.

– Je crois que je vais demander mon rapatriement, dis-je.

Personne ne réagit. Mon oncle et ma tante n'avaient qu'une personne en tête : l'inspectrice de la DDASS. Paul me fuyait et je l'évitais. Les repas n'étaient plus des piqueniques sympas, mais des moments de silence où chacun reconstituait sa force de travail. Il faut dire que les raviolis et les soupes en sachet finissaient par lasser.

– Qu'est-ce que tu dis ? marmonna Fabienne.

Elle attaquait sa deuxième couche de laque et se battait contre les giclures et coulures. Son visage était parsemé des minuscules gouttelettes que projetait son rouleau à chaque passage sur le mur.

– Je voudrais rentrer à la maison.

– Quelle cochonnerie ! Un manchon « spécial laque », une peinture « monocouche », et voilà le résultat ! Tu veux rentrer ? Mais pourquoi ?

– Je ne sers plus à rien, avec mes mains…

– Fabienne, hurla Jean-Baptiste, je te coupe l'eau pour une petite heure, OK ?

Le plombier brûla la toile de verre toute neuve en soudant ses tuyaux au chalumeau, la baignoire dut être hissée par la fenêtre, et au passage elle cassa un carreau du rez-de-chaussée. Le disjoncteur sautait à chaque fois qu'on mettait le nouveau chauffe-eau en marche. Paul s'énervait après le plombier, Jean-Baptiste poursuivait l'EDF au téléphone, l'atmosphère était à la crise.

– Comment ça : « Ils font le pont ! » Est-ce que je fais le pont, moi ?

Ça ne m'amusait plus. Mon oncle et ma tante n'avaient qu'à habiter une maison neuve, comme tout le monde ! À quoi ça rimait de se défoncer et de dépenser autant d'argent pour obtenir au mieux une ruine rafistolée, avec une électricité vacillante et des tuyaux poreux ? Le problème, avec les adultes, c'est qu'ils ne savent jamais reconnaître leurs erreurs à temps.

Paul m'accompagna à la gare.

Depuis son arrivée, nous n'avions pas passé une minute en tête à tête. Il prit le ton faussement enjoué qu'il employait avec ses anciens clients, genre : « Alors, comment ça va ? Pas de travaux en vue ? »

– Alors, comment tu te sens, Pascale ? Mieux qu'avant les vacances ?

– Bof...

– Tout finira par se tasser, tu verras. De mon côté, ça se décante, j'ai une commande en perspective... Un appartement... L'année prochaine sera meilleure...

– Je ne vois pas ce que ça changera pour moi, objectai-je.

Quand j'arrivai à la maison, je constatai que l'ambiance ne s'était pas vraiment améliorée. Maman, pâle, les traits tirés, était vissée à sa table de travail : elle devait rendre une quinzaine de planches avant le 31 décembre. Il m'était déjà arrivé de l'aider, en coloriant au feutre, par exemple, et j'aimais bien cela, mais l'état de mes mains ne le permettait pas.

Comme ce n'était pas possible de vivre sans rien pouvoir toucher, j'avais cessé de mettre de la crème grasse. Ça ne me démangeait plus, des croûtes se formaient, et je les arrachais.

Mon frère jouait au dur. Il avait récupéré un vieux blouson de cuir et portait une boucle ignoble à l'oreille droite. Il traînait toute la journée avec sa bande de copains malgré l'interdiction de Maman, arrivait en retard aux repas et n'aidait plus du tout à la maison.

Le soir de mon arrivée, Clotilde sortit avec son petit ami et ne rentra pas de la nuit. Le lendemain matin, Maman appela Paul et pleura au téléphone. Je piquai du nez dans mon bol de corn flakes : tout cela était de ma faute.

Clotilde revint de sa « nuit en ville » avec un petit sourire insolent et satisfait.

– Tu ne pouvais pas téléphoner ? Où étais-tu ?

– Tu le sais bien : chez Olivier.

– Ses parents étaient là ?

– Non, répondit Clotilde en quittant la pièce.

Je pensais que Maman allait poursuivre la dispute en courant après Clotilde dans l'escalier, puis en criant derrière la porte de sa chambre. Mais non. Ma mère soupira, eut soudain l'air très vieux, et se remit à pleurer.

J'entrai chez ma sœur sans frapper, au moment où elle décrochait le téléphone.

– Viens, on va chez Jules, dis-je.

Elle reposa le combiné et me suivit, avec son exaspérant sourire aux lèvres. Je hais les gens amoureux. Jules écoutait du rap à la radio.

– Vous ne trouvez pas que vous poussez un peu ? demandai-je. Elle va craquer !

Clotilde me regarda avec surprise.

– Tu t'inquiètes pour elle ? Après ce qu'elle t'a fait ?

– C'est pas à vous qu'elle l'a fait! rétorquai-je.

– Si, fit Jules. Je croyais que j'avais une sœur, et c'était qu'une demie.

– Je croyais que j'avais une famille, et ce n'était qu'un mensonge, ajouta Clotilde.

Ça me déplaisait de les voir prendre mes problèmes à leur compte.

– Vous cherchez quoi, au juste?

– Moi, dès que je le peux, je quitte la maison, dit Clotilde.

– Et tes études?

Elle eut un geste vague. Jules m'interrogea sur Gilles, sur mes autres demis (les enfants de Gilles). Il me dit qu'il m'enviait d'avoir une issue de secours.

– Faut pas rêver, ils ne veulent pas de moi, dis-je.

Je n'étais pas très sûre de vouloir d'eux.

Les jours suivants, je mis des pansements sur mes croûtes pour aider Maman dans son travail. Nous ne parlions guère, mais il n'y avait pas de tension entre nous.

Quand on colorie, on a tout le temps de réfléchir. Même si ma mère avait trahi son mari et menti à ses enfants, pensai-je, elle était la seule à ne pas avoir changé de statut par rapport à moi. Elle était ma vraie mère, et j'avais toujours vécu avec elle. Si je décidais de partir, où que j'aille, chez Gilles, chez ma marraine, dans un foyer, je perdrais ce lien unique et véritable.

Paul passa Noël chez Fabienne et Jean-Baptiste : les travaux avançaient trop lentement pour qu'il puisse prendre une soirée de congé. Clotilde était invitée à réveillonner chez les parents de son petit copain. Jules fut prié de dîner avec Maman et moi, ce qui le mit en rage.

C'était le premier repas de Noël que nous ne prenions pas tous ensemble. Nous n'avions même pas acheté de sapin, l'ambiance ne s'y prêtait pas. Il fut entendu qu'on attendrait Paul pour la cérémonie des cadeaux. J'avais décidé de ne pas en faire : c'eût été trop hypocrite.

Maman avait acheté à la va-vite de la nourriture de fête dans une grande surface, et je tentai de dresser une jolie table pour nous trois. À neuf heures du soir, Jules n'était toujours pas rentré…

À onze heures, Maman appela le commissariat.

À minuit moins dix, deux agents de police ramenèrent Jules à la maison. Il avait été surpris en train de scier l'antivol d'une Mobylette sur le parking du centre commercial.

– On dirait qu'il a voulu se faire un petit cadeau de dernière minute, plaisanta le plus âgé des gendarmes.

– Qu'allez-vous faire ? demanda Maman, la voix blanche.

Les deux hommes se regardèrent. Au loin, les cloches sonnèrent.

– C'est Noël. Il a de la chance pour cette fois. Mais que ça lui serve de leçon.

Maman se confondit en remerciements. Dès que les agents eurent refermé la porte, elle éclata en sanglots. Le téléphone sonna. C'était Paul, pour nous souhaiter un joyeux Noël. Je lui passai Maman et montai me coucher sans dîner.

Il fut décidé que Jules irait aider aux travaux de rénovation de la maison de Bellême : avec lui, mon oncle et ma tante auraient droit à un avant-goût des joies parentales. Clotilde passait ses journées chez son copain. Maman et moi dessinions en silence. Normalement, le 31 décembre nous verrait tous réunis pour fêter l'arrivée de la nouvelle année…

Le 28, je reçus un coup de téléphone de mon vrai père. Je m'y attendais tellement peu que mon cœur se mit à battre beaucoup trop vite. Il m'annonça que sa mère avait eu une attaque et qu'elle voulait me revoir avant de mourir.

Maman était furieuse. Elle traita Gilles de tous les noms. Je venais à peine de me remettre du choc qu'il revenait tout bousiller dans ma tête, dit-elle. J'ignore ce que Gilles répondit à ces accusations. Ensuite, Maman téléphona à son éditeur pour demander un délai. Évidemment, celui-ci était en vacances.

– Tant pis. Je t'accompagne à Paris, décida-t-elle.

Chapitre 8

La mère de Gilles était dans un hôpital en banlieue, parce qu'on n'avait pas pu trouver de lit ailleurs. Maman me serrait fort la main. Gilles était assis dans le couloir. Il se leva en nous voyant.

– Je suis désolé, dit-il. Vous êtes venues pour rien. Elle est dans le coma. Mais hier, elle parlait encore. Elle s'en voulait tellement d'avoir brutalisé Pascale… Ce n'est pas une mauvaise femme, tu sais, ajouta-t-il, visiblement bouleversé.

– Elle va mourir ?

Il hocha la tête. J'insistai pour la voir. Maman essaya en vain de m'en dissuader. C'était une chambre à deux lits et l'autre vieille dame râlait. À part cela, ce n'était pas très impressionnant. Ma grand-mère avait la peau très pâle et elle semblait dormir. Son visage était tiré, rendu dissymétrique par la paralysie. Je n'avais jamais vu quelqu'un sur le point de mourir.

– Elle m'a demandé de te donner ça, ajouta Gilles.

C'était un porte-photos pliant, avec, en vis-à-vis, ma grand-mère plus jeune, et, supposai-je, mon grand-père, un monsieur démodé, avec une moustache.

– Qu'est-ce que ça veut dire, Gilles? demanda Maman, exaspérée.

Nous allâmes nous asseoir dans un petit salon réservé aux malades valides et aux visiteurs. Je me sentais émue, soulagée aussi: j'avais encore dans l'oreille la voix sévère de la vieille dame.

– Pascale a le droit de savoir d'où elle vient, dit Gilles.

– Mets-toi à sa place, enfin! s'écria Maman. C'est une enfant! À quoi tu joues? Je prends, je donne, je reprends…

– Je suis contente d'avoir ça, dis-je en montrant le porte-photos.

Ils semblèrent surpris de voir «l'enfant» s'exprimer.

– Je ne sais plus où j'en suis, soupira Maman. Si tu voyais, à la maison…

– Chez moi non plus ce n'est pas simple, murmura Gilles.

Je les regardai. Ils avaient l'air perdu, malheureux. Au bout du couloir, quelqu'un mourait. Et dans trois jours, ce serait la nouvelle année.

Le jour baissait. Maman voulait rentrer à Tours. Je me dis que c'était la première fois que je me trouvais assise entre mon père et ma mère.

– Soyez prudents sur la route, dit Gilles.

Clotilde s'était endormie devant la télé. Le

sol était couvert de mouchoirs en papier. Soit elle avait vu un film triste, soit elle avait rompu avec son petit ami.

Elle avait rompu.

Il était nul, débile, menteur et il avait même des boutons dans le dos. Maman la consola, elles parlèrent d'amour et de trahison, de jalousie, de mensonge, de déception. Entre femmes. Je suppose que Clotilde eut droit au récit de l'infidélité de Paul, parce qu'à dater de ce jour son attitude changea : ma sœur se rapprocha de Maman. Et s'éloigna de moi.

Gilles téléphona pour dire que la grand-mère était morte sans se réveiller.

Ils avaient tous de quoi s'occuper : Maman récupérait sa grande fille et son chagrin. À Bellême, Paul enseignait les vraies valeurs à son fils. Gilles enterrait sa mère au milieu de l'affection des siens. Tours se couvrait de neige.

Le 31 décembre, mon moral était au plus bas. Je n'avais aucune envie de partager une joie factice avec ma mère et ma demi-famille. Paul et Jules rentrèrent de Bellême. Jules adoptait un profil plutôt bas. Il savait qu'à la prochaine incartade, il irait finir l'année scolaire en pension. Clotilde s'offrit une crise de larmes en enfilant la robe que « l'affreux » aimait tant. Maman avait enfin remis son travail et tombait littéralement de fatigue.

Paul vint me voir dans ma chambre et me demanda pourquoi je ne m'étais pas changée pour le dîner.

– J'aime pas les fêtes, bougonnai-je.

– Alors on te prendras comme tu es! fit-il joyeusement. Tu viens m'aider? Personne ne décore une table comme toi!

Pour soulager Maman, il s'était chargé de la cuisine et avait mis les petits plats dans les grands. Il attendait toujours le contrat qui devait le remettre en selle, mais il affichait une bonne humeur forcée qui m'exaspérait. À minuit, on s'embrassa et on procéda à la remise des cadeaux.

Je savais depuis longtemps que je recevrais une nouvelle combinaison de ski. Elle était chouette, avec des Zip partout et des couleurs à la mode. Paul offrit à Maman un album de photos. Il y avait réuni les meilleurs clichés pris depuis leur mariage. Maman fut tellement émue que ses yeux se remplirent de larmes. Ils m'envoyèrent des regards appuyés. Le message était clair : nous formions une vraie famille, deux parents et trois enfants.

Je trouvais cela gentil et un peu simplet.

Chapitre 9

Le deuxième trimestre commença sous une tempête de neige. J'étais censée bien travailler pour effacer les mauvais résultats de l'automne. Mais rien ne m'intéressait, ni la reproduction de la tulipe, ni la féodalité. Paul n'avait toujours pas de travail et envisageait sérieusement de partir exercer ses talents à l'étranger. Maman illustrait sans plaisir des livres qu'elle n'aimait pas, parce qu'elle n'avait plus les moyens de refuser. Je me demandais si le lycée nous conduirait dans des voies aussi bouchées que celles de nos parents. La crise, toujours...

Ce lundi-là, je ne me doutais pas que j'allais découvrir dans le collège glacé une nouvelle amie. Elle s'appelait Camille et venait de l'île de la Réunion. Elle était jolie, timide, gelée jusqu'à la moelle des os, et sortait tout juste de sixième : là-bas, les grandes vacances commencent à Noël…

Je lui proposai de refaire avec elle le programme du premier trimestre, elle accepta.

Jeanne, mon ex-copine, qui s'affichait avec les garçons les plus frimeurs de la classe, ricana et me traita de « sainte-Pascale-priez-pour-nous ».

Camille habitait avec ses parents fonctionnaires un petit appartement dans le centre ville. Elle avait un frère plus âgé, Romain, qui était en première au lycée. Je passai bientôt tout mon temps libre chez eux. Quand nous avions fini de travailler, nous goûtions, et elle mettait un disque ou jouait du piano. Romain avait beaucoup de problèmes en maths, je lui recommandai le prof de Clotilde, l'étudiant sérieux que Maman aimait tant. Romain et Camille semblaient très liés, très proches l'un de l'autre. Sans doute parce que leurs parents n'étaient jamais là. On plaint toujours les enfants qui rentrent, la clé autour du cou – ils ne pourraient pas la mettre dans leur poche ? – pour trouver une maison vide. C'était de ça que je rêvais. Arriver le soir chez moi sans tomber sur la planche à dessin de Maman, les pas nerveux de Paul sur les carreaux du salon, les bavardages téléphoniques de Clotilde et la musique de Jules.

J'avais besoin d'un coin secret, comme chez Fabienne, de silence et de solitude. Pour réfléchir.

Les parents étaient contents que je me sois fait une nouvelle amie. Ils voulaient que je l'invite un mercredi, mais je ne voulais pas la partager, la livrer aux commentaires de ma famille. Il y avait si peu de choses qui m'appartenaient en propre.

Camille ne se plaisait pas en métropole. Avant la Réunion, elle avait vécu aux Antilles et en Nouvelle-Calédonie.

– Quand je suis arrivée en France, me confia-t-elle, j'ai eu l'impression d'entrer dans la nuit.

Elle avait détesté Paris, le bruit, l'agitation, et surtout l'agressivité des gens. Je lui décrivis la gare d'Austerlitz un jour de grève des trains. Puis je lui racontai ma fugue et ce qui l'avait provoquée.

– Je ne comprends pas, dit-elle.

– Qu'est-ce que tu ne comprends pas ?

– Que tu sois encore là ! Que tu n'aies pas préféré vivre avec ton vrai père !

J'avais tourné et retourné le problème dans ma tête. Gilles était un étranger pour moi. Nous avions tant de chemin à faire l'un vers l'autre ! Il faudrait lutter contre sa femme, Paul, mes demi-frères et mes demi-sœurs, Maman, aussi, sans doute. Et pour gagner quoi ?

– Il n'y aurait qu'une solution, dis-je. Que nous partions, lui et moi, loin des deux familles. Que nous créions une nouvelle cellule familiale, le père et la fille, sans personne d'autre.

– Et alors ?

– Je ne crois pas que ça me plairait. En plus, il m'en voudrait.

– Et toi, tu ne lui en veux pas ?

Même pas. Et c'était le plus difficile. Dans mon histoire, il n'y avait pas d'un côté les gentils et de l'autre les méchants. Juste un gros problème, comme un noyau dans la gorge avec lequel je devais vivre, mais que je ne voulais pas, ou ne pouvais pas, avaler.

À la maison, on ne parlait plus que des résultats de Clotilde. Lorsqu'elle réussissait un contrôle, elle se voyait déjà en maths sup et à Polytechnique. Elle remplissait des dossiers pour s'inscrire en classe préparatoire, mais dès qu'elle récoltait une mauvaise note, elle déprimait, annonçait qu'elle n'aurait jamais son bac et reprochait à tout le monde de ne pas prendre le deuil avec elle.

Jules travaillait dans un garage le week-end pour se payer une Mobylette. Ça l'empêchait de voir cette bande que les parents trouvaient « mauvais genre ». Mais ça l'empêchait aussi de faire ses devoirs...

Moi, j'avais de nouveau des bonnes notes, sans beaucoup me fatiguer, d'ailleurs.

– Pour Pascale, c'est facile, dit un jour Jules avec dépit.

– Pourquoi ? fis-je.

– L'hérédité... Papa n'est pas prof de maths, que je sache !

Cette remarque jeta un froid. Je ne savais quelle attitude adopter.

– C'est en dessin que je suis la meilleure, bredouillai-je, et ça, je le tiens de Maman...

Paul se sentit obligé de dire qu'il avait passé un bac scientifique et que les études d'architecture exigeaient de bonnes bases en géométrie. Mais le cœur n'y était pas. Ses affaires n'avaient pas repris et il était clair qu'il perdait confiance en lui. Il me faisait pitié.

C'est horrible d'avoir pitié d'un homme que pendant douze ans on a considéré comme son père.

Romain était très mignon, bien plus que les copains de Jules. Il portait un catogan et de petites lunettes rondes qui lui donnaient l'air romantique et intellectuel. D'après Camille, toutes les filles lui couraient après. Je me disais que j'étais la seule à connaître le vrai Romain, celui qui discutait politique, rêvait de coopération et de médecine humanitaire, parce que j'étais la seule à discuter avec lui au lieu de le draguer.

À la maison, pendant le dîner, je laissais parfois échapper quelques remarques sur l'actualité politique ou sociale, et Clotilde se moquait de moi. Elle m'avait surnommée « Romain-dit-que ».

– Je n'ai pas le droit d'avoir des idées ? protestais-je.

– Moi, je trouve que ce garçon lui fait beaucoup de bien, répondait Maman. Regardez comme elle est soignée, maintenant !

– Et coquette, renchérissait Paul. C'est un nouveau sweat-shirt ? Il te va rudement bien !

C'était à mon tour de jeter ma serviette sur la table et de monter l'escalier en tapant des pieds. J'enrageais. Avant moi, Clotilde avait été la grande spécialiste des sorties théâtrales entre fromage et dessert. Nous échangions alors des regards las et tristes. Quand je quittais la table, je sentais dans mon dos une satisfaction bovine genre « elle est amoureuse, ça lui réussit, elle sort de sa crise, tout va s'arranger » qui m'ulcérait.

Je n'étais pas amoureuse de Romain. Je le trouvais séduisant, brillant, et j'étais flattée qu'il me parle comme à une fille de son âge. D'ailleurs, je savais, par Camille, qu'il sortait avec une minette de rêve portant caleçon et cheveux raides. Une fille que j'imaginais avec une doudoune sur les longues flûtes qui lui servaient de jambes, baladant ses mèches de droite à gauche, riant de toutes ses dents.

Leur couple représentait pour moi un idéal dont je n'étais pas jalouse. Au contraire. J'avais besoin de croire à l'amour. Un amour vrai, total, sans mensonges et trahisons, sans arrangements et concessions. Je n'étais pas prête à le vivre, je voulais juste m'en nourrir par procuration.

Cette idylle me passionnait.

– Ils se sont vus hier soir ? demandais-je à Camille.

– Elle avait une sortie de classe. Romain l'attendait à la porte du théâtre avec un bouquet de violettes !

– Devant tout le monde ! m'extasiais-je.

– Et demain, il dîne chez elle ! Ses parents ont demandé à le rencontrer. Comment penses-tu qu'il doive s'habiller ?

Au fond, ce n'était pas très différent de mes sketchs avec les poupées Barbie.

Chapitre 10

Je vivais de plus en plus chez mon amie et de moins en moins à la maison. Pendant les vacances de février, Camille et Romain, qui n'avaient jamais vu la neige, partirent aux sports d'hiver avec un groupe de jeunes. Je n'avais pas envie de rester à Tours et m'invitai chez Fabienne et Jean-Baptiste. Ils disposaient à présent d'une cuisine et d'une salle de bains en état de marche. L'assistante sociale était revenue, avait semblé satisfaite et même impressionnée par la qualité du travail effectué. Mon oncle en avait profité pour lui donner la carte professionnelle de Paul.

Mais l'enfant tant attendu n'était pas encore arrivé.

Ma tante me dit que j'avais changé et que je devenais une jolie jeune fille. Bien entendu, je n'en crus pas un mot mais je rosis de plaisir.

– T'as vu mes cheveux ? Ils ont encore épaissi ! me lamentai-je.

– C'est un don du ciel, une tignasse pareille ! répondit Fabienne. Je t'interdis de les couper ! Tu as raison de les attacher plus haut, ça dégage l'ovale de ton visage.

L'ovale de mon visage. L'expression me plut. Je passai plus de temps devant la glace, essayai différents chouchous et appris à me faire un chignon de danseuse. La maison de Fabienne et Jean-Baptiste n'était pas l'endroit rêvé pour de tels exercices, parce que le confort était encore sommaire, mais il régnait une atmosphère qui encourageait les expériences. À force de m'examiner sous toutes les coutures, je découvris une légère dissymétrie entre mes deux yeux qui me traumatisa : j'étais défigurée ! Ma paupière droite se fermait plus que ma paupière gauche ! Devrais-je porter des lunettes noires ? Recourir à la chirurgie esthétique ?

Fabienne s'étonna de mon humeur brusquement assombrie. Je lui en avouai la raison en pleurant, et elle éclata de rire. Je la détestai.

– C'est ça, moque-toi ! fulminai-je.

– Oui, je me moque ! Pas de tes yeux, mais de tes complexes idiots !

Elle m'expliqua que la beauté naît de l'imperfection. Jean-Baptiste approuva : la salle de bains n'était-elle pas plus vivante avec son revêtement roussi par endroits ? Plus unique ? Il réussit à me faire rire en imitant le plombier, son chalumeau et ses interminables râleries.

J'étais unique, vivante et dissymétrique. J'avais deux pères et il me faudrait vivre avec. Je passai de nouveau du rire aux larmes. Fabienne et Jean-Baptiste se regardèrent.

– Tu sais ce qui te ferait du bien ? dit ma tante. Un peu de travaux manuels... Et à nous aussi !

Ils enrageaient de perdre les précieuses journées des vacances de février, alors qu'ils auraient pu tapisser le salon, mais l'inspectrice de la DDASS leur avait recommandé de se tenir tranquilles.

Quand je vis Jean-Baptiste revenir du centre commercial avec une décolleuse à papier peint, je compris qu'ils avaient craqué.

– Si je reste à me morfondre, plaida Fabienne, ce pauvre bébé aura une mère névrosée ou hystérique.

– Ou les deux, renchérit Jean-Baptiste, toujours optimiste.

La décolleuse fonctionnait avec de la vapeur d'eau et nous vivions dans un véritable sauna, tandis qu'il gelait dehors. J'attrapai un rhume carabiné.

– Pourquoi n'allez-vous pas aux sports d'hiver, cette année ? demanda Fabienne en me frictionnant la poitrine avec de la pommade.

– Ben, Paul… bredouillai-je.

Je pensai à ma combinaison de ski toute neuve qui serait trop petite l'an prochain.

– Il n'a toujours rien trouvé ?

– À Tours, non. Il va peut-être avoir un chantier au Koweït. Ou en Arménie…

– Et vous iriez tous là-bas ?

Je n'en savais rien. Pas Clotilde, en tout cas : on ne part pas à l'étranger trois mois avant le bac. Le problème, c'était Jules : il avait besoin d'être encadré, et Paul ne voulait pas le laisser sous la seule autorité de Maman. Quant à moi…

– Je pourrais rester ici, chez vous ? demandai-je. Il doit y avoir un collège, à Nogent…

– On en reparlera, dit Fabienne prudemment.

– Ne t'inquiète pas… fit Jean-Baptiste.

Il accompagna sa phrase d'une bourrade chaleureuse. Fabienne, elle, se détourna et je lui en voulus. Elle était ma marraine, elle avait des responsabilités envers moi, non ?

Le soir, ma température monta. Ça tapait dans ma tête et j'avais mal au cœur. Mais en même temps, je me sentais légère, comme si mes problèmes s'étaient envolés. Je parlais à tort et à travers sans prêter attention à l'inquiétude de mon oncle et de ma tante.

– Je voudrais voir Gilles, dis-je. Je voudrais qu'on soit tous amis. Y a pas de raison d'être triste parce qu'on a deux pères. Y en a qui n'en ont même pas un seul.

– Avale ton aspirine, dit Fabienne. Le docteur sera là d'une minute à l'autre.

– C'est Gilles que je veux. Gilles et Camille.

Je n'avais qu'un banal refroidissement, mais le médecin me trouva bien nerveuse. Je n'étais pas pressée de voir tomber la fièvre. Elle me donnait des ailes.

Une marraine, en fait, c'est une adulte comme les autres. Fabienne me trompa avec Ludovic.

J'étais encore au lit quand arriva le coup de téléphone de la DDASS. Il y avait un petit garçon pour eux, âgé de neuf mois, en bonne santé... Jean-Baptiste vint m'annoncer la nouvelle. Ses yeux étaient humides. Fabienne sanglotait dans la cuisine. Ils avaient rendez-vous dans l'après-midi pour prendre livraison du bébé.

Le salon était en chantier, j'occupais la seule chambre confortable et ma grippe était sans doute contagieuse...

J'étais trop abrutie pour comprendre que je gênais, que je devais partir. L'arrivée de Ludovic m'émouvait, je désirais prendre part à leur joie, je ne comprenais pas leur panique et leurs regards hésitants.

– Pascale, ma chérie, tu sais que nous t'aimons beaucoup, c'est juste que... Écoute, tu vas t'habiller bien chaudement, Jean-Baptiste va t'accompagner à la gare, et à Tours, ta maman...

– Vous me renvoyez ?

– Mais non ! Essaie de comprendre...

– Je vous déteste ! criai-je. Je déteste tout le monde !

Je me détestais surtout de gâcher leur joie. Gilles, mon vrai père, avait également voulu me mettre dans un train, se débarrasser de moi. Si j'avais pu mourir à cette minute précise, cesser d'encombrer, d'être toujours en trop...

Nous sursautâmes au bruit de la sonnette. Le bébé, déjà ? Mon oncle et ma tante dévalèrent l'escalier. J'allais passer mes microbes à Ludovic, il mourrait par ma faute, tout le monde croirait que je l'avais tué par jalousie.

J'entendis des exclamations, des présentations, des explications. Je sautai au bas de mon lit, cette voix, je la reconnaissais, c'était celle de Gilles !

Mon oncle lui avait téléphoné la nuit où je délirais en prononçant son nom. Mon père avait promis de rappeler, il ne l'avait pas fait mais il était venu.

Dès lors, tout devint simple. Gilles, sans sa mère, sans sa femme, sans ses enfants, semblait plus énergique et plus décidé. Il aida Jean-Baptiste à enlever les bâches et les restes de papier peint qui jonchaient le sol du salon. Ils remirent les meubles en place. Ce n'était pas très beau, mais c'était vivable. On aéra «ma» chambre, on fit un grand ménage et on installa les meubles de bébé que ma marraine avait achetés depuis si longtemps.

J'étais trop fatiguée pour aider, mais je regardais, et j'avais envie de pleurer. Pas de chagrin, cette fois.

Fabienne m'emmitoufla chaudement, me dit qu'elle m'aimait et me demanda si je voulais être la marraine de son fils. J'acceptai, encore légèrement dans les nimbes, et Gilles m'emmena dans sa voiture. Fabienne et Jean-Baptiste fermèrent la maison derrière nous : il était l'heure de leur rendez-vous à la DDASS.

– Où va-t-on? demandai-je à Gilles.

– Chez toi.

– Chez toi, tu veux dire ?

– Non, à Tours. Ne t'inquiète pas, on en a longuement discuté, tes parents et moi.

Gilles me parla du petit Ludovic.

– C'est le fils de Fabienne et Jean-Baptiste. Ce sont eux qui ont choisi son prénom. Ils vont l'aimer et l'élever. Ludovic les appellera Papa et Maman. Qu'est-ce que ça changera qu'il n'ait pas été conçu par Jean-Baptiste et porté par Fabienne ?

– C'est à lui qu'il faudra le demander, dis-je.

– Est-ce que Paul t'a traitée différemment de Jules et Clotilde ?

– Non, admis-je. Mais il agissait par devoir.

– Qu'est-ce que tu en sais ?

Il m'expliqua qu'il avait fallu énormément d'amour à Paul pour pardonner à Maman et m'accepter comme sa fille. Que s'il s'était comporté plus égoïstement, il aurait fait le malheur de tous. Et que c'était bien ingrat de ma part de lui reprocher sa «lâcheté».

– Tu admets, insistai-je, qu'il a dû se forcer pour accepter la situation.

– Au début, certainement! Mets-toi à sa place!

C'était difficile.

– Je crois qu'en plus il avait trompé ma mère, murmurai-je.

– Ça ne te regarde pas. C'est leur couple, leur problème. Nous rêvons tous d'être jeunes et beaux et fidèles et parfaits, mais la vie, c'est autre chose, ma petite fille. D'ailleurs, on s'ennuierait terriblement entre gens parfaits, ajouta-t-il en souriant.

Je réfléchis un instant.

– Moi, je ne tomberai jamais amoureuse, dis-je. J'aurais trop peur que ça ne marche pas.

– On en reparlera, fit-il.

– De toutes façons, je ne pourrai pas avoir d'enfants...

– Et pourquoi ça ?

– T'imagines combien ils auraient de grands-parents ? Comment je pourrais leur expliquer ? Entre Paul, et toi, les demi-frères, les demi-sœurs… Je ne sais même pas à quelle famille j'appartiens ! Alors pour en fabriquer une…

Je me mis à pleurer. Gilles se gara sur le bord de la route et arrêta le moteur. Il me prit la main. J'avais craint un instant qu'il ne m'embrasse, et j'avais déjà constaté que ce n'était pas son truc, les effusions. Ni le mien, d'ailleurs. La main, j'étais d'accord. J'appréciai aussi qu'il ne me serve pas le couplet habituel sur la roue qui tourne et le bonheur qui appartient à ceux qui le méritent.

– Ce n'est pas facile, Pascale, je te l'accorde, dit-il. Et ça ne le sera jamais. Mais tu as été aimée par ta Maman, par Paul. Depuis le jour de ta naissance. Et maintenant que je te connais, moi aussi, je t'aime. C'est ça qui compte. Tu sais que je m'occupe de jeunes en difficulté. S'ils avaient connu ça, cette sécurité des premières années, ils n'en seraient pas là aujourd'hui.

– Mais maintenant, sanglotai-je, maintenant, qu'est-ce que je vais faire ?

Il ne pouvait pas répondre à cette question. Il me dit une chose bizarre, que je ne compris pas sur le moment : je ne devais pas m'empêcher d'aimer.

Chapitre 11

Ma température était un peu remontée quand nous arrivâmes à Tours, et j'avais tellement pleuré que mon nez était totalement bouché. Je ne voulais pas me remettre au lit : il me semblait que je ne pouvais pas abandonner Gilles. Jules et Clotilde étaient très curieux de le connaître. Il parla du programme de terminale avec Clotilde et admira la Mobylette de Jules. La situation n'était pas évidente et il s'en sortait bien. On voyait qu'il avait l'habitude des adolescents.

Je me dis que les choses auraient pu être pires. Par exemple si mon vrai père avait été antipathique.

Maman et Paul faisaient d'énormes efforts

pour avoir l'air naturel, et en d'autres circonstances, j'aurais pu m'en amuser. En fait, même s'ils paraissaient ridicules, ils étaient surtout touchants. Et personne n'avait envie de rire.

Fabienne téléphona pour dire que Ludovic était le plus mignon de tous les bébés du monde, et qu'il s'était endormi parfaitement après avoir dîné. Comme Maman ne posait pas la question, je pris l'appareil.

– Il est de quelle couleur ?

– Chocolat au lait ! répondit Fabienne. On en croquerait !

Nous étions tous impatients de le voir, mais mon oncle et ma tante voulaient rester seuls avec lui pour qu'il s'habitue à son nouvel environnement, avant qu'il ne fasse son « entrée dans le monde ».

– Ton fils, il a quel âge ? demandai-je à Gilles.

– Frédéric ? Dix mois.

– Il sera peut-être copain avec mon filleul, plus tard, fis-je.

Paul et Maman échangèrent un regard.

– Et votre femme ? Elle est prof, elle aussi ? Il paraît que les profs se marient souvent entre eux, dit Clotilde.

– Personne d'autre n'en voudrait ! plaisanta Gilles, et cela nous fit rire.

Il expliqua que sa femme avait quitté l'enseignement après avoir enseigné dans un collège « à problèmes ».

– Elle était fatiguée par sa grossesse, elle n'a pas supporté les menaces physiques de certains élèves, la longueur des trajets, la démission des responsables... Le manque de perspectives, aussi, pour ces jeunes.

– *No future*, fit Jules.

Gilles lui lança un regard soucieux.

– Comme tu dis... Mais Françoise s'ennuie dans un bureau... Elle regrette sa décision... Les professeurs aiment leur métier. Ils demandent juste à pouvoir l'exercer dans de bonnes conditions.

Jules s'insurgea. C'était la première fois que

je l'entendais parler avec une telle fougue, et une telle rancœur.

– Pas tous ! Pas ceux qui nous répètent à longueur de journée que le niveau baisse et que c'est désespérant de se trouver face à des débiles comme nous ! De toutes façons, qu'est-ce qui nous attend ? Le chômage ! Diplôme ou pas diplôme, y a pas de boulot !

Clotilde embraya immédiatement.

– Le système est pourri, dit-elle. La sélection commence à la sixième. Non, même avant. Moi, j'ai de la chance, je fais partie de l'élite, j'ai pris la voie royale ! (Elle rit nerveusement.) En d'autres termes, je veux faire une classe préparatoire. Ça va être le bagne absolu pendant deux ou trois ans. Les meilleures années de ma vie ! Pourquoi veulent-ils nous en faire baver ? Qu'est-ce qu'on leur a fait ?

– Qui « ils » ? demanda Maman.

– Le système ! Les vieux ! Vous !

Il y eut un silence.

– Et toi, tu comptes toujours être étalagiste ? me demanda Gilles.

– Je ne sais pas.

Je me sentais assez bien, malgré le rhume. Si j'avais eu les idées plus claires, j'aurais pu argumenter à mon tour, jouer à « Romain-dit-que ». J'étais contente que Clotilde et Jules se soient exprimés et je me sentais sur la même longueur d'onde qu'eux. Pour la première fois depuis longtemps, j'avais l'impression d'être à ma place. J'allai chercher la maquette d'un immeuble réalisé par Paul et la montrai à Gilles, qui l'admira.

– Maquettiste, aussi, j'aimerais bien, fis-je.

Je n'osais pas ajouter « ou architecte ». Et pourtant...

Romain et Camille revinrent tout bronzés de leurs vacances à la neige. Avec un air mystérieux, Camille m'attira dans un coin de la cour de récréation et m'annonça que Romain l'avait «fait».

– Fait quoi?

– L'amour, tiens!

– Elle était là? fis-je, éberluée.

– Qui?

– Ben sa copine!

– Non, pourquoi?

Romain sortait avec une fille et couchait avec une autre. Camille trouvait ça normal. Pas moi. On aime ou on n'aime pas, non? Camille prit un petit air supérieur et me dit que, décidément, j'étais encore un gros bébé. Je savais ce qui allait suivre. Elle allait m'annoncer qu'elle était sortie avec un garçon de son groupe de ski. Je ne me trompais pas. Grâce à Jeanne, j'étais devenue experte dans l'art de reconnaître les filles qui avaient déjà embrassé. À leur façon de sourire, un peu plus étudiée. À leur port de tête, un peu plus fier. Au mouvement de la main qui baladait les cheveux de droite à gauche. Les cheveux normaux. Pas les crinières de lion.

Fabienne avait eu droit à un congé d'adoption. À Bellême, une nouvelle famille apprenait à vivre ensemble. Nous avions reçu la première photo de Ludovic et constaté qu'il était effectivement le plus beau des bébés. Ma marraine me manquait. J'étais certaine qu'elle n'avait jamais trompé Jean-Baptiste. Et réciproquement. Je lui écrivis une lettre. Je lui racontai ce que Gilles m'avait dit au sujet de la perfection. Je parlai de Camille, de Romain, de mon besoin de vérité et d'absolu, de ma peur devant la vie qui m'attendait. Je lui dis que Ludovic avait de la chance, parce qu'il était tombé chez des gens bien.

Je passais moins de temps chez Camille. Les amours de Romain ne m'intéressaient plus et j'avais honte quand je pensais à mes conversations stupides sur la façon dont il s'habillait quand il avait rendez-vous avec sa copine. Je recommençai un peu à parler avec Maman, quand elle avait le temps. Nous étions intimidées l'une par l'autre, et nous choisissions des sujets neutres, comme l'actualité, la maison, la cuisine. Un jour, je lui dis que j'aimais moins ses dessins qu'avant. Qu'ils étaient sans doute plus professionnels, mais plus fabriqués aussi, moins parlants. Elle me regarda d'une drôle de façon et je changeai de sujet.

Fabienne m'envoya une longue lettre qui me fit pleurer. Elle écrivit que j'étais quelqu'un de bien moi aussi et que Ludovic était vraiment veinard d'avoir une marraine comme moi. À propos de la vérité et du mensonge, elle pensait que ce n'était pas un défaut d'être exigeant, au contraire, mais qu'il fallait accepter que les autres le soient moins...

Elle admettait que j'avais hérité d'un sacré problème et ne niait pas que je le trimballerais toute ma vie, « d'autres naissent diabétiques ou myopathes », ajoutait-elle, « et c'est encore pire ».

Sans parler, songeai-je, des femmes qui ne peuvent pas avoir d'enfants.

Fabienne m'écrivait aussi qu'elle me faisait confiance pour surmonter mon handicap et même pour le transformer en une épreuve enrichissante et formatrice.

Là, elle poussait un peu.

Enfin, dans un post-scriptum, elle me disait qu'elle n'inviterait pas Gilles et sa famille au baptême de Ludovic. Elle en avait longuement discuté avec Jean-Baptiste : les relations que j'entretiendrais dans l'avenir avec mon vrai père ne regardaient que moi ; mon oncle et ma tante ne voulaient pas s'immiscer ni jouer les bons Samaritains. Même si Paul et Maman étaient prêts, pour mon bien, à assumer une situation difficile, Fabienne ne souhaitait pas leur imposer une présence qui leur serait, par la force des choses, déplaisante.

Il me fallut un certain temps pour comprendre qu'elle avait raison. Au début, je me sentis contrariée : qui protégeait-elle ? Les parents ou moi ? En fait, je ne savais pas comment reprendre contact avec Gilles, ni même si j'en avais envie, ou besoin. J'aurais trouvé commode de le rencontrer comme ça, sans avoir rien fait pour.

Le frère de Fabienne fut désigné comme parrain. J'attendais avec impatience la cérémonie, fixée aux alentours de Pâques, pour cause de vacances scolaires, au grand dam de Clotilde qui voulait se consacrer à ses révisions du bac. Elle préparait ses dossiers pour entrer en classe préparatoire, hésitait entre maths sup et prep HEC et chaque nouvelle note remettait en cause le dernier choix. Elle nous demandait notre avis et s'énervait quand nous le donnions. J'étais effarée par la place qu'elle arrivait à prendre, avec ses atermoiements, dans notre vie familiale. Moi, dans l'état bizarre où je me trouvais, ça m'arrangeait plutôt. Mais Jules était complètement écrasé. Et personne ne semblait s'en rendre compte.

Je songeais que les inégalités de traitement,

entre nous trois, ne venaient pas « de la voix du sang », mais du caractère. Clotilde avait toujours pompé l'air de tout le monde. Je me sentis soudain très solidaire de mon frère.

Paul partit quelques jours en visite de repérage au Koweït. Faute de solution de rechange, il avait accepté de s'expatrier pour construire un complexe résidentiel là-bas. Les revenus de Maman étaient trop faibles pour nous faire vivre, et surtout, l'oisiveté forcée de Paul était devenue un fardeau pour tout le monde. Notre déménagement était prévu pour l'été.

Clotilde avait décidé de rester en France : elle serait interne dans un lycée. Je savais que les parents souffraient de voir la cellule familiale, déjà ébranlée, s'amputer de l'un de ses membres. Et quel membre !

– Je crois que cela fera beaucoup de bien à Jules, dis-je à Maman, un soir, pendant que nous rangions la cuisine ensemble.

– Jules ? Il en profitera pour ne rien faire !

Les expatriés sont des privilégiés, tout leur est facile, ce n'est pas ça qui mettra du plomb dans la cervelle de ton frère ! répliqua Maman d'un ton amer.

– Si vous lui faisiez un peu confiance, aussi, au lieu de toujours le rabaisser par rapport à Clotilde !

Elle ne répondit pas, mais je l'entendis répéter mes paroles à Paul, le soir, dans leur lit.

Et moi ? Avais-je envie de partir ? D'un côté, ça m'excitait de connaître d'autres cieux, d'autres gens, et de mener une nouvelle vie sous le soleil. D'un autre côté, je venais de retrouver Gilles et j'espérais devenir son amie, comme il me l'avait proposé. Mais comment y parvenir si je m'en allais au bout du monde ? J'avais beau me dire que le chantier de Paul ne durerait que deux ans, c'est beaucoup, deux ans, quand on en a treize.

Camille me vantait les charmes de la vie outre-mer.

– Et Romain ? demandai-je. Qu'en pense-t-il ?

– Oh, si tu le branches sur le sujet, il te fera un cours sur le statut de la femme dans l'Islam et le rôle de l'Europe face aux capitaux américains !

– Je n'ai rien contre les cours, dis-je.

Je n'avais pas revu Fabienne et Jean-Baptiste depuis que Ludovic était entré dans leur vie. Maman et Paul avaient fait un saut à Bellême pour voir le bébé, que ses parents ne souhaitaient pas encore déplacer.

Le jour du baptême, mon oncle et ma tante m'apparurent transfigurés, libérés, rayonnants. Ludovic, après un premier mois un peu chaotique, s'était très bien adapté à sa nouvelle famille. Il souriait, gazouillait, essayait de se mettre debout, et l'on pouvait prendre le mot « dada » qu'il prononçait lorsqu'il voyait l'un ou l'autre de ses parents pour un « papa ».

La petite église de Bellême était pleine à

craquer et j'étais morte de trouille au moment de porter Ludovic sur les fonts baptismaux. J'avais l'impression que mes gestes étaient hachés, comme dans un vieux film muet. Tout se passa bien, mais je dus perdre un demi-litre de transpiration !

Lors du lunch à la maison (le salon n'avait toujours pas été retapissé), j'entendis une voix familière :

– Tiens, mais je connais cette jeune fille !

L'inspectrice de la DDASS ! Je lui dis que son ex-protégé était magnifique.

– Et sa marraine n'est pas mal ! dit-elle en me caressant les cheveux. Dis-moi, ça doit défiler, les amoureux, non ?

Je rougis si fort qu'elle éclata de rire.

Romain m'a fait un cours sur le statut de la femme arabe et l'impérialisme américain. Ça m'a beaucoup intéressée. Il m'a offert quelques livres, un peu ennuyeux pour dire la vérité. Et puis, un jour, un bouquet de violettes. Je l'ai invité à dîner à la maison. Il m'a demandé comment il devait s'habiller.

– Ça ne te rappelle pas quelque chose ? demandai-je.

– Quoi ?

– Ta copine, celle avec les longues jambes et les cheveux raides...

Elle n'avait jamais existé. Romain et Camille l'avaient inventée à cause des filles du lycée qui voulaient toutes sortir avec « le beau garçon des îles ».

– Ça t'ennuyait d'avoir du succès ?

– Moitié-moitié... Je mens très mal. Je ne me voyais pas dire « je t'aime » à une fille uniquement parce que j'avais envie de la caresser.

– Et celle du ski ? C'était bidon aussi ?

– Non.

Je n'osai pas insister. Avec moi, Romain était très gentil, très attentionné... et très respectueux. Il ne prenait même pas ma main au cinéma.

La veille de mon départ, il m'a demandé s'il pouvait m'embrasser. Je n'attendais que ça. Depuis un certain temps.

C'était fort, ça m'a fait chaud partout et après je n'ai pas pu dormir. L'amour, on a beau vouloir s'en protéger, quand on tombe dedans, c'est pour de bon.

Tout le monde me dit qu'avant d'être adulte, j'aurai le temps d'en connaître d'autres, des garçons. Mais moi je sais qu'il n'y aura jamais que Romain dans ma vie. Parce que je suis comme ça, fidèle.